# COLEÇÃO ARQUITETOS DA CIDADE
## GRUPOSP

Marta Bogéa (org.)

editora
escola
da cidade

# NOTA DOS EDITORES

Arquitetos da Cidade é uma série editorial – parceria entre Escola da Cidade e Sesc São Paulo – dedicada a escritórios brasileiros que se destacam no enfrentamento dos desafios inerentes à cidade contemporânea. Arquitetos cujas ações nunca perdem a oportunidade de concretizar uma gentileza urbana, ou seja, de qualificar o espaço público com ações positivas. Para esse grupo de arquitetos, certamente é na cidade que reside seu maior interesse, independentemente do que estejam a desenhar. Não por acaso, todos os presentes nessa série estão fortemente ligados à educação – professores universitários que dividem seu tempo entre a prática e o ensino.

Arquitetura é arte complexa: determina o desenho da paisagem, urbana ou não, influi nas relações sociais, qualifica os espaços para as pessoas. É em geral fruto do trabalho coletivo, de muitas disciplinas, de muitos saberes. Por sua vez, a relação entre arquitetura e cidade tem sido o grande tema que a cerca. Fazer cidade, no sentido da qualificação da vida urbana. O enfrentamento dos grandes problemas urbanos que as cidades americanas trouxeram, com seu crescimento explosivo e desigual. O arquiteto hoje se lança sobre essa realidade, concentra seus esforços sobre problemas que, não raro, se apresentam como insolúveis em sua complexidade.

A profusão crescente, quase explosiva, de imagens e vídeos pela internet tornou o universo da arquitetura mais acessível. O que é positivo, não há dúvida. Por outro lado, a conexão das imagens com o percurso e com a coerência do trabalho de um determinado arquiteto diluiu-se. Nesse sentido, a publicação de uma seleção de projetos a partir de um olhar curatorial, incluindo textos, entrevistas, croquis e detalhes construtivos, permite uma aproximação efetiva à poética de cada escritório. Projetos autorais, quando vistos em conjunto, expõem um percurso, sempre marcado por buscas, desejos, experimentações.

Este volume traz o trabalho do escritório gruposp, coletivo de arquitetura com destaque no cenário nacional e internacional, que pela primeira vez apresenta seu trabalho reunido em publicação específica. Organizado por Marta Bogéa, conta com colaborações de Angelo Bucci e Jorge Figueira, além de entrevista com Alvaro Puntoni e João Sodré, que coordenam o escritório, conduzida por Marta Bogéa, Mônica Junqueira e Pedro Kok.

EDITORA ESCOLA DA CIDADE
EDIÇÕES SESC

Página ao lado:
*Unnamed spaces*,
exposição no
Arsenale para
a XVI Biennale
Architettura
– Freespace.
Veneza, 2018.
Página 2: Edifício
Simpatia, São
Paulo, 2007-2010.
Páginas 8-9:
Sesc Limeira,
2017 (concurso).

7  Depoimento
   Angelo Bucci

11  78.788.000.80
    Marta Bogéa

15  gruposp: sentir compreendendo
    Jorge Figueira

20  Museu Difuso e Urbano
    São Paulo, SP, 2013

26  Escola Pública Jd. Tatiana
    Votorantim, SP, 2006-2009

34  Moradia Estudantil Unifesp
    Osasco e São José dos Campos, SP, 2015

40  Edifício Simpatia
    São Paulo, SP, 2007-2010

46  Casa no Morro do Querosene
    São Paulo, SP, 2004-2008

56  Casa no Jardim Paulistano
    São Paulo, SP, 2012-2015

64  Casa em Itu
    Itu, SP, 2014-2018

74  Sede do Sebrae Nacional
    Brasília, DF, 2008-2010

86  Sesc Limeira
    Limeira, SP, 2017 (em andamento)

98  Entrevista
    Marta Bogéa, Mônica Junqueira e Pedro Kok

108  Fichas técnicas

# DEPOIMENTO

ANGELO BUCCI

Um livro de arquitetura não se mede por palavras como se fosse um texto. Nem em metros quadrados, como um prédio. É a matéria que incorpora o fato. Nela a arquitetura ganha vida e fala. Então, talvez fosse o peso, aquilo que antecede a própria obra ainda na preparação do terreno e o que remanesce mesmo depois dela em ruínas, a sua medida. Mas essa matéria, para ser arquitetura como é o caso, precisa valer o que pesa. Nas obras exemplares que nos traz esta publicação, cada grama foi cuidadosamente elaborada em projeto para que se fabricasse, transportasse e dispusesse em seu lugar meticulosamente desenhado para fazer vibrar o todo, digo, tudo o que existe.

Tome este livro como quem é capaz de erguer com as próprias mãos milhares de toneladas! Tal noção o torna alicerce do saber que ele carrega. E, no entanto, isso não lhe pesará, pois, ao percorrer esses espaços, você ingressa no campo da cultura, cuja produção revira alguns conceitos pelo avesso: como se alicerce fosse cobertura, e o peso, ao invés de comprimir contra o solo, libertasse para lançar adiante: propulsão para o voo.

Alvaro, melhor amigo, sempre gostou das pessoas. João, ainda estudante, já gostava de garimpar livros em sebos. Das festas os dois sempre gostaram. Uma casa, convenhamos, não seria razoável ser tanto biblioteca como salão de festas. Mas, ao ver como eles as fazem, a gente vai achar que sim. Todas as obras aqui, e apenas três são residências, têm para mim uma familiaridade tão grande que eu poderia viver em qualquer uma delas com a certeza de que me sentiria em casa, no abrigo do coração dos amigos, que é fonte dessas obras todas.

Este livro, você verá como é verdade, foi feito para nos animar a construir o mundo.

Angelo Bucci é arquiteto formado pela FAU-USP (1987), mestre (1997) e doutor (2005) pela mesma instituição. É professor desde 1990, com atuação em instituições internacionais. Professor do Departamento de Projeto, na FAU-USP, desde 2001. Sócio-fundador do escritório SPBR arquitetos.

# 78.788.000.80

MARTA BOGÉA

O jogo numérico revela um intrigante traço, o encanto lógico que deságua em uma criteriosa precisão aliada à pertinente liberdade na interpretação de dados. Resulta em uma arquitetura sofisticadamente construída, estabelecida por balizas internas, estratégias recorrentes, mas que, em cada caso, delineiam situações singulares.

Com 15 anos de existência, o gruposp realizou 78 projetos, que somam 788.000 m² e 80 km. No momento, tem treze obras concluídas. Durante esse período, participou de 37 concursos (dezesseis premiados) — tal presença parte do interesse em participar da reflexão e do debate que os concursos de arquitetura propiciam. Conta com 34 parcerias: o convite ao diálogo é traço recorrente em seu método de trabalho.

Os projetos analisados nesta publicação, escolhidos dentre uma variedade programática, envolvem um arco temporal de produção que se inicia em 2005. O livro se abre com a apresentação de uma análise arguta de São Paulo, que visava constituir o MAM/SP como um Museu Difuso e Urbano (2013); em seguida, apresenta-se o projeto da Escola Estadual em Votorantim (2005). Na sequência, o foco se volta para o espaço residencial, com a Moradia Estudantil Unifesp em Osasco e São José dos Campos (2015); nessa linha, seguem os projetos do edifício na rua Simpatia (2007) e de três casas: Casa no Morro do Querosene (2005), Casa no Jardim Paulistano (2012), Casa em Itu (2014). Concluímos com dois projetos institucionais: o primeiro, já construído – o Edifício Sede do Sebrae Nacional em Brasília (2008); o segundo ainda está em desenvolvimento executivo no momento de produção deste livro – trata-se do Sesc Limeira, resultado de concurso público (previsão de início das obras em 2021).

A abrangência de programas revela uma das interessantes características do escritório. Sua produção, atenta à especificidade de cada caso, permite, entretanto, reconhecer características recorrentes de uma pesquisa de paisagens comuns, como temas que os arquitetos investigam e experimentam em diferentes escalas e situações, e asseguram uma clara perspectiva de um trabalho que se aprimora no fazer.

Sem se distrair em realizar projetos simplesmente "novidadeiros", que se esgotam em si, as produções do escritório revelam laborioso enfrentamento de aspectos que lhes são caros. Um deles é a certeza de que arquitetura configura cidades. Premissa evidente no Museu difuso, no conjunto de habitação estudantil e no Sesc Limeira. A leitura perspicaz das paisagens aparece também nas casas. Às vezes, a intenção é constituir autonomia do que lá está, como na casa do Jardim Paulistano, na configuração de uma potente paisagem interior ao lote; em outras, como na casa de Itu, pretende-se assegurar uma implantação pertinente (no exemplo, a construção se volta para o lago na mesma medida em que se distingue da frontalidade, mais habitual para a rua). Em qualquer caso, a atenção ao sítio de implantação se desdobra na construção de uma exuberante geografia inventada. Novos platôs, inéditas visuais, novo chão edificado. São traços do escritório que se reconhece também no uso dos materiais: o macadame, "pedra portuguesa" tão presente no chão das cidades brasileiras, simbolicamente é usado em diferentes projetos – chão desejável, urbano, a adentrar também nos espaços arquitetônicos. Endossa, compondo uma nova geografia, os térreos como paisagem de desejável permeabilidade.

Outro tema perceptível e recorrente é o vazio como instrumento de conformação de espaços abertos a usos variados. Definidos como "contraplano" de linhas e volumes rigorosamente demarcados, aqui os vazios são intervalos oportunos delineados por corpos opacos que abrigam serviços e apoios. As linhas opacas constituíram a síntese gráfica apresentada pelo escritório em sua participação, por convite, na exposição geral de Veneza em 2018.

Sobre esses blocos, que em geral abrigam apoios e circulação, é importante dizer, entretanto, que não se definem como secundários: eles perturbam, e às vezes até animam, o traçado e os outros espaços. Encontramos um curioso exemplo na casa do Morro do Querosene: a luz, advinda do banheiro doméstico, irradia para o espaço de estar através das superfícies translúcidas. Outro que merece destaque é a dupla parede, que abriga circulação vertical e banheiros, desenhada em elegante curvatura, que definirá elementos singulares na geometria do Sebrae.

Nesse sentido, notemos que a arquitetura também dá oportunidade para configuração de novos enquadramentos e variada luminosidade. Frestas cuidadosamente editadas abrem brechas de luz e visualidades inéditas. O mesmo artifício, o filtro de luz, pode se obter em materiais distintos: ora por chapas perfuradas, ora vidros leitosos, ora veneziana em madeira. Entre o quadro nítido e a paisagem entrevista através desses filtros, a arquitetura resulta em um dispositivo ótico valiosamente calibrado de matizes.

É interessante debruçar-se sobre a construção, muitas vezes realizada por módulos componíveis, e decifrar a engenhosidade construtiva em cada caso. Não como baliza para uma verdade estrutural: trata-se muito mais da revelação da construção do artefato. O detalhamento aqui é impecável, e aprimora-se a cada projeto.

Ao lado desses traços impressos na materialidade da produção do escritório, chamam a atenção duas recorrências em seu método de trabalho: a variedade das parcerias, sempre presentes em momentos diversos, e o entendimento do projeto como formulação de um problema que transcende a encomenda, a ponto, em alguns casos, de serem eles os provocadores da própria demanda — como ocorreu com o Edifício Simpatia. As fichas técnicas demonstram que essa vontade de diálogo ocorre com grupo amplo e variado e vem se confirmando como método de trabalho, mais do que apenas como apoio a determinados programas, a depender da complexidade dos projetos. O diálogo ocorre com arquitetos parceiros, mas também com clientes e artistas. Durante essa troca, são buriladas as balizas internas do projeto, e por vezes são renovadas suas direções.

O Edifício Simpatia é bom exemplo disso — desde o belo painel, desenhado por Andrés Sandoval, até a aposta no limite da demanda da construtora (produzir unidades nas quais até as áreas molhadas fossem flexíveis). O constante aprimoramento faz dos arquitetos rigorosos críticos de si mesmos, e a análise revela que a aposta ao final pode resultar em hipótese não comprovável. Finda a construção, todas as áreas estavam estabilizadas. O edifício, entretanto, fica como registro valioso de uma investigação radical. Ponto a ponto pôde ser analisado e reconhecível para ajustes e revisões, caso ocorresse novo projeto nessa direção.

Ainda que trabalhos que dialogam com elementos preexistentes não representem um tipo de atuação constante para o escritório, há casos em que uma ideia anterior encanta e se busca uma elaborada aproximação. Passa-se a reconhecer o elemento anterior como desejável, de modo que se possa usufruir da potência de sua presença. Há importantes exemplos desse aspecto em projetos anteriores à formação atual do gruposp, como na intervenção no térreo do Edifício Lagoinha de Carlos Millan, e uma hipótese de ampliação (não construída, 2002); na proposta para o Teatro Castro Alves (2010); ou na eleição dos edifícios a compor o novo MAM no centro de São Paulo, apresentado nesta publicação. Isso permite perceber que a dupla de arquitetos é arguta leitora de paisagens, na mesma medida em que se reconhece como responsável por suas desejáveis renovações.

Do jogo numérico à experiência nos lugares, evidencia-se o desejo por um território de liberdade: esse desejo se materializa nos projetos por meio da consolidação constante dos domínios internos à prática da arquitetura, que permite livre navegação, aliada ao aproveitamento do legado rigorosamente reconhecido pela tradição. Não à toa, a pesquisa e a curiosidade por outras produções são parte do cotidiano do gruposp — o que fica evidente, por exemplo, na presença de projetos que lhe são caros justapostos a projetos do escritório em sua apresentação em Veneza.

Os diálogos para construção deste livro acompanham esse diapasão. Nos verbetes de obras, mantemos duas dicções, a minha e a dos autores (sublinhada). A entrevista foi transformada em convite ao diálogo, com a presença de Mônica Junqueira, e sua sofisticada e criteriosa elaboração de uma historiografia crítica da arquitetura paulista, e de Pedro Kok, um constante fotógrafo dessa produção, atento à vibração dos lugares em uso, muitas vezes registrados em filmes — que, nesta edição, aparecem como sequências de fotogramas justapostos na apresentação de algumas obras. Jorge Figueira é o crítico convidado: notável por seu interesse em ouvir o visitante, reconhecidamente sagaz em suas análises urbanísticas e arquitetônicas, para quem aquilo que naturalizamos em um cotidiano compartilhado deixa de servir. O depoimento de Angelo Bucci nasce de um diálogo longevo e constante que vem ocorrendo entre os três arquitetos, em variados formatos.

Este volume resulta do interesse nos processos, para além dos feitos; da curiosidade sobre o pensamento do outro, que se desdobra em compartilhamento de mundo; da serena convicção de que a presença da alteridade enriquece mais que ameaça. Procedimentos que se materializam e ecoam nas ricas paisagens porosas, irrigadas de luz, engenhosamente precisas, valiosamente renovadas, projetadas por Alvaro Puntoni e João Sodré.

Marta Bogéa é arquiteta formada pela Universidade Federal do Espírito Santo (1987), mestre pela PUC-SP (1993), doutora pela FAU-USP (2006) e professora livre-docente do Departamento de Projeto da mesma instituição. Pesquisadora do CNPq e vice-diretora do Museu de Arte Contemporânea da USP.

# GRUPOSP: SENTIR COMPREENDENDO

JORGE FIGUEIRA

**1**

Como fez o gruposp na Bienal de Veneza de 2018, quero introduzir a orquestra e, só depois, o coletivo/solista.

Embora tenha o recorte de um "absoluto", esta arquitetura precisa de contexto, paradoxalmente. Não ao modo europeu de uma identidade local, mas como uma narrativa de outrora que, entretanto, se impôs como uma evidência que deve ser partilhada.

A arquitetura brasileira, aquela que nasceu entre o Ministério da Educação, no Rio de Janeiro, o conjunto da Pampulha e o edifício da FAU-USP, é uma força da natureza. O Brasil é tão rico e complexo em expressões artísticas que boa parte do século XX é seu. A arquitetura é disso síntese e demonstração. Diz Caetano Veloso sobre Lucio Costa: "Ele tem a marca do modernizador que não agride o fluxo natural da vida. Para mim, é uma lição"[1].

A vida relançada pela arquitetura brasileira não é história menor. Tem também uma dimensão trágica, claro, ao modo dos desencontros que marcaram o século XX, entre os ideais e a realidade, as "elites" e o "povo". Mas não há, que se tenha vislumbrado, modo mais expressivo de ser arquitetura: estrutura em movimento, forma como decoração, decoração como essência, exatidão como ambivalência, contradição como atmosfera, beleza como verdade. Basta entrar no edifício da FAU para perceber o que deu certo — envergonhando o muito que deu errado: o "Pártenon"[2] pode estar progressivamente a transformar-se numa ruína, mas será, como a Vênus de Milo, perpetuamente reutilizado.

São Paulo, de baixo para cima, Brasília, de cima para baixo, encontram-se no meio, a flutuar, como expressões do século XX, carregadas de exagero por excesso (São Paulo) e por defeito (Brasília). O Brasil, um país em tudo exagerado, encontra na arquitetura uma contenção que é tensa, na "escola paulista", e curvilínea, na "escola carioca".

Mas, para lá do exagero de São Paulo se ver como o centro do mundo (que é, habitualmente), não há assim tantas diferenças: o que separa as superquadras de Brasília do desenho e discurso cósmico de Paulo Mendes da Rocha é uma sutil diferença de escala. É como um espelho: o que não se compreende em São Paulo — a ordem, o sentido — é aquilo que em Brasília é fundador; em qualquer caso, estamos flutuando no espaço.

Como se diria em linguagem moderna, o que define São Paulo e Brasília é esse espaço, em quantidade e qualidade impossíveis de enumerar ou adjetivar. Talvez, apenas, um espaço preexistente; um espaço do porvir. O Rio tem ainda uma dimensão metafísica, que escapa à própria dificuldade de enunciá-lo.

A arquitetura brasileira encontrou um modo de espacializar o espaço; em forma, modelo, estrutura. O espaço brasileiro estava desde sempre à espera de ser transformado em arquitetura para ser o que é. Talvez por isso, como em nenhum outro país, um arquiteto é divinizado (Oscar Niemeyer); é possível construir uma cidade de raiz (Brasília, por Lucio Costa), um templo moderno (a FAU, por Vilanova Artigas) e até propor o redesenho de um território continental (a América Latina, por Mendes da Rocha). E, no entanto, a resistência a esse espaço espacializado é avassaladora, o que extrema ainda mais as posições. Quanto mais atomizada é a experiência, mais absoluta é a arquitetura. É também por isso que figuras como Niemeyer ou Mendes da Rocha surgem como demiurgos; e cada arquiteto brasileiro – aqueles que interessam, pelo menos – precisa saber cantar em público.

Quanto mais a urbanidade é extenuante, mais libertadora deve ser a arquitetura – é isso que explica a obsessão por vazar o térreo; ou criar pisos abertos a meio do prédio; ou pura e simplesmente abrir os edifícios. Sem o contexto histórico-psicocultural, sem a percepção da desmesura da empreitada, sem seguir a trajetória do concreto, não se percebe a rasura radical que a arquitetura brasileira traduz em suas várias figurações.

De resto, digo por experiência própria, só é possível compreender São Paulo sendo guiado pelo Fabio Valentim a caminho de Paranapiacaba; e Brasília, circulando nas "tesourinhas"[3] com a Sylvia Ficher em falsa contramão. E é talvez mais *sentir que se compreende* do que *compreender*. É preciso chegar à Praça das Artes (Brasil Arquitetura), ao Sesc 24 de Maio (Mendes da Rocha, com MMBB), ou ao Sebrae, para *sentir compreendendo*, e é essa a alegria que a arquitetura brasileira nos dá.

Aí entramos numa "suspensão da descrença" (a *suspension of disbelief*, como se diz em inglês), vivemos o filme, e acreditamos que o possível não é tudo.

**2**
Escrevo estas notas à mão, como os antigos, a pensar no trabalho do gruposp, de Alvaro Puntoni e João Sodré, ainda agora aqui em casa, virtualmente, com a Marta Bogéa como anfitriã. Não há outro modo de entrar senão correndo, a corrida está em curso, e é uma modalidade olímpica. Como diz o Alvaro na entrevista aqui publicada: "só estamos tentando levar o bastão um pouco mais adiante". Não é coisa pouca, nem parece. Como dizia, a arquitetura brasileira ergueu-se no século XX, em várias frentes, como o som do futuro. E, especialmente em São Paulo, talvez esse som se tenha transformado num *drone,* uma nota que se perpetua, repetida e encantatória. A questão é que é "dentro" dessa peça musical que o gruposp, como outros coletivos da mesma geração, se move. Entretanto, a arquitetura deixou de ser "moderna" – que é uma categoria histórica, não descreve o presente – sem encontrar outro nome. Ou talvez ainda seja "moderna" se o presente for vivido como história. Em qualquer caso, os nomes deixaram de importar: a não ser talvez os dos quatro elementos, água, terra, fogo, ar. Quem diria: a arquitetura moderna – vejam-se as constantes críticas à "pegada de carbono" do concreto – será finalmente superada pelas dramáticas preocupações ecológicas e ambientais que estão a definir a entrada no século XXI. Na descrição do Sebrae, sintomaticamente, Alvaro divide-se entre a evocação da FAU e a manifesta presença da água, em diversas funções climáticas; como se houvesse uma esquina para dobrar.

A familiaridade que percorre o trabalho do gruposp é o som do futuro a fazer-se sentir retrospectivamente, sem nostalgia ou passadismo. Decorre da pertença a um "coletivo", como fazia notar a celebrada exposição que em 2006 apresentou seis ateliês como tendo uma plataforma comum: Andrade Morettin Arquitetos, MMBB, Núcleo de Arquitetura, Projeto Paulista, Puntoni Arquitetos/ SPBR Arquitetos, Una Arquitetos.

O trabalho do gruposp permanece ativo nessa rede fixada belissimamente na exposição/catálogo *Coletivo: 36 projetos de arquitetura paulista contemporânea*, um projeto que ligava a produção profissional à experiência acadêmica, sob a esfera do político: "A história da FAU-USP pode ser percebida nessa produção, e interessa entender algumas características do período em que o grupo passou pela escola, que se associa invariavelmente a ocorrências mais amplas no âmbito da política e da cultura nacionais. Trata-se de um grupo que certamente não possui uma matriz plástica, mas, talvez, uma afinidade ética"[4].

Faz parte da matriz dos arquitetos que se encontram num projeto partilhado salvaguardar as diferenças plásticas. É talvez a maior diferença do nosso tempo em face dos manifestos heroicos do início do século XX: estes queriam principalmente salvaguardar uma obrigatória plástica comum.

Em qualquer caso, a "ética" a que o "coletivo" se refere não é indissociável da matriz plástica da "escola paulista": não se separam, são inextricáveis. Não deixa de espantar, como comecei por dizer, e não há na história contemporânea caso semelhante, que uma arquitetura tão enlevada por um "absoluto" formal dependa tão fundamentadamente de uma narrativa, até de uma agenda, acadêmica, profissional e política em correspondência.

Nesse sentido, a arquitetura brasileira permanece — em particular nas últimas décadas, no modo paulista — como a mais elaborada e visceral, intelectual e crua expressão de uma aspiração política em forma construída. Também por isso, o Museu dos Coches, em Lisboa (Mendes da Rocha, com MMBB e Bak Gordon), é um projeto noutro lugar, um absoluto sem local, um modelo a pairar. Nem podia ser diferente, porque o "contexto" a que pertence é "coisa mental".

"Levar o bastão um pouco mais adiante"; "mover uma montanha" — qual é a diferença?

## 3

É isto que eu vejo da janela do Copan.

Três meses em São Paulo, em 2018, duas semanas em Brasília, em 2019, são as memórias a quente que me devolvem ao Brasil. Cruzo por isso a proposta para o MAM como Museu Difuso Urbano, ali perto do Copan, com o Sebrae, em Brasília, que visitei com Luciano Margotto.

A arqueologia do MAM e do Masp, que sustenta a implantação do Museu Difuso Urbano na rua Sete de Abril, como um "museu sem corpo", é um ato curatorial/projetual luminoso. Ao sair do Ibirapuera para o centro da cidade, instalando o museu em vários pontos nevrálgicos, o gruposp cria um itinerário delicado de reconhecimento da cidade. Toca num nervo. É um gesto que, se tivesse sido concretizado, poderia ter o alcance do Sesc Pompeia, de Lina Bo Bardi, na devida proporção. Não se trata tanto do valor da reabilitação, que agora é consensual. O Museu Difuso Urbano visava algo mais profundo: a renomeação dos sítios, a reintrodução das personagens, o empoderamento de fantasmas, permitindo que a história num lugar extraordinário como a rua Sete de Abril voltasse a ser presente. Uma "utopia artística" assente em prédios bem concretos, nos meandros da cidade mais que real, mapeando os passos da vida cotidiana, transformada pela arte e pela arquitetura. O Museu Difuso Urbano é praticamente um "manual das boas práticas" a ser seguido, quebrando com a exausta fórmula do museu "icônico".

Na cidade-mãe da arquitetura moderna, o Sebrae remete-nos para o construtivismo russo, a mãe de todas vanguardas arquitetônicas do século XX. Mais que uma inscrição nos temas de Brasília, monumentalidade, axialidade, repetição, o Sebrae é a forma em laboratório espacial, seguramente com ecos paulistas, mas adensando a experiência com um excesso de passagens e cruzamentos, uma certa vertigem arquitetônica. Mesmo com o térreo aberto, como deve ser, a tensão entre as formas e o pátio semiaberto — indeciso, quase deslizante — parece uma variação do infindável "reportório" do construtivismo, que, recomposto ou domesticado, suscita várias incursões até hoje.

Nesse sentido, o Sebrae, tentando superar a vulgata paulista, parece recuar a um ponto preliminar: antes de os pilares serem quatro; e de as linhas serem contidas num espaço internalizado. O pátio não contém o edifício; as alas não recriam interioridade; a experiência é de fragmentação, mesmo que suportada pelo térreo vazado e pelo acerto volumétrico.

Nesses dois projetos, o gruposp mostra como é possível expandir a prática, e avançar aparentemente recuando, para a cidade, para a história da arquitetura. Em certo sentido, o ponto de onde partem é tão "avançado" que a recriação do percurso até esse momento é em si mesma performativa e pedagógica.

A Escola em Votorantim permite falar do modo como a arquitetura brasileira exponenciou o enunciado moderno centro-europeu do "período heroico", implodindo a equação espaço interior/exterior; e já, num segundo momento, hiperboliza o "brutalismo", um enunciado que sai do contexto inglês no pós-guerra. Mais uma vez, não parece estar tanto em questão a essencialidade que emana do extraordinário pátio/origem do mundo da FAU, mas uma textura caleidoscópica de materiais expostos ao modo brutalista *"as found"* e uma arquitetura "no osso", que irrompe em travessias visuais que fazem troça do que é exterior *versus* o que é interior. Esta liberdade, que se aproxima de um ato arquitetônico pleno, sem aparentes constrangimentos (excluindo os orçamentais, naturalmente), faz a inveja dos arquitetos a norte, submetidos à parede que tem de ser parede, e às rampas que têm de ser escadas. A aparente candura projetual da Escola em Votorantim é, afinal, o resultado apurado de um percurso longo e de um resgate cultural — o tema da exposição/catálogo *Coletivo*.

As três casas aqui publicadas — no Morro do Querosene, no Jardim Paulistano e em Itu — são momentos da verdade, como acontece com outras casas, igualmente notáveis, de colegas geracionais do gruposp. Revelam um virtuosismo que está para lá da dimensão urbana, da grande escala, e dos problemas existenciais do Brasil. Enquanto no contexto português, para dar um exemplo, o projeto da casa tende a ser o arranque e o protótipo de uma invenção, aqui parece ser o momento de uma confirmação e também um refúgio cultural. É por isso o lugar onde a ambivalência do papel social do arquiteto no Brasil se debate — ou consome. O luxo que exibem, bem entendido, é o da arquitetura, e desse ponto de vista permanecem indicadores; mas de que, exatamente? A redenção da metrópole pelo projeto, imaginando que é possível, começa ou acaba aqui? A afirmação da arquitetura como "arte burguesa" (Kenneth Frampton) regressa para nos atormentar[5].

A Casa no Morro do Querosene é densa, engenhosa, crua nos materiais, e guiada por uma "parede-biblioteca"; a do Jardim Paulistano é também uma casa de livros e um exercício longitudinal onde a diversidade de materiais e de pontos de vista complexifica o tema doméstico; a Casa em Itu tem outra escala e um contexto não urbano, mas parece manter certa entropia que as obras do gruposp vão revelando. Enquanto o "cânone" implica resolução e clareza, aqui, o vazio intermitente, a parede solta e "torcida", o deslizar de planos, a fragmentação de volumes parecem revelar uma ambiguidade inesperada, quem sabe, revelatória. É "uma quase não casa", escreve o gruposp. Mas talvez se pudesse dizer: é quase "não paulista".

As moradias estudantis Unifesp em Osasco e em São José dos Campos revelam a "linhagem" e uma sábia, consabida, transformação da infraestrutura em partido arquitetônico e da estrutura em arquitetura — uma possível síntese da "escola paulista".

O Edifício Simpatia, diferentemente, tem uma alegria com que se parece medir com as agruras do entorno; deixa-se contaminar e é "sujo" arquitetonicamente. Traduzindo uma espécie de "*dirty realism*", parece exacerbar o que o circunda; é banal e é singular — uma nota dissonante que mostra o gruposp em formato *pop* e expansivo.

E chegamos ao Sesc Limeira, bastão na mão, já um pouco adiante. O Sesc São Paulo tem sido — nomeadamente este que nos trouxe o 24 de Maio, o da Avenida Paulista (Königsberger/Vannucchi) e uma vaga de concursos — o contexto ideal para a afirmação do devir e do dever social dos arquitetos. Uma instituição sem paralelo, em qualquer parte do mundo, permite acalentar, à escala da cidade, a aspiração legítima do potencial transformador da arquitetura. Para voltar ao construtivismo, os Sesc são "condensadores sociais", talvez agora não visando à revolução, mas seguramente permitindo a refundação da sociabilidade tão fragmentária como tumultuosa do corpo em movimento de São Paulo. Os Sesc são brasílias pós-modernas, dádivas que integram a aspiração "socialista" do Plano Piloto no tecido local, sem a axialidade — que era fundacional —, e o funcionalismo — que tudo separava em frações. O que emociona no Sesc é estar tudo junto, um microcosmo que revela a sociedade em *performance*, com a coreografia da vida habitual.

É esse "teatro" que o projeto do gruposp, com José Paulo Gouvêa e Pedro Mendes da Rocha, se prepara para acolher na praça central como um "vazio de 36x30 metros". E, sim, o gruposp assume a corrida olímpica, no Sesc Limeira, com desassombro: "aqui procuramos articular, de forma direta e simples, todos os ensinamentos ofertados pelos arquitetos e que nos constituem como tal". E, no entanto, no projeto que se pode observar no vídeo e nos desenhos de apresentação, para lá da familiaridade e do "som do futuro" que ainda reverbera, há talvez um salto: o Sesc Limeira é uma estufa gigantesca à espera da vegetação, como um Crystal Palace transportado, e é quase historicista nesse sentido; mas, quando entramos no "vazio", é também um inesperado *gate* que se abre para o século XXI — que só agora começamos a perceber como vai ser.

**4**
Concentrada naquilo que na Europa se chama "disciplina", a "arquitetura paulista" aparentemente não assume compromissos, mas é praticada em estado de emergência social, política, econômica. A "disciplina" é vivida em sobressalto interdisciplinar, e a tentação do ativismo, ou de esquecer a arquitetura e adotar a vida, é forte. É por isso que esses arquitetos não podem tergiversar; e a arquitetura deve experimentar-se no limite. A obsessão pelo térreo aberto é um encontro entre a "disciplina" (a estrutura, o espaço) e uma narrativa interdisciplinar – o coletivo, o social, o ideal de uma cidade aberta e fluida.

A arquitetura moderna na sua origem centro-europeia teve sempre uma componente discursiva, pedagógica, até messiânica. Aqui é possível ver os prédios como palavras, e a arquitetura como literatura. Mendes da Rocha precisa ser hiperbólico quando fala de subir uma oitava na escala da imaginação, porque as obras já dizem tudo. Ser "incomunicante" era uma das principais críticas do pós-modernismo à arquitetura moderna, o que a arquitetura brasileira nunca foi. Comunicou torrencialmente; fez Brasília; perdeu-se e voltou a encontrar-se conforme o social, o político e o econômico permitiram. Quanto mais depende, mais autossuficiente se pressupõe. Quanto maior é o entrave, mais o vão se liberta.

É por isso que os Sesc são tão decisivos: não se imagina em que outro sítio se possa encontrar a "disciplina" da arquitetura, com a "interdisciplinaridade" dos programas, com a indisciplina de todos nós.

A esta trajetória, que pude aqui anotar brevemente, o gruposp pertence, como deseja, e dela também diverge, como é natural. Como escreve Marta Bogéa na apresentação, a participação em concursos (37) e o número de parcerias (34) revelam o entendimento do ateliê como uma plataforma alargada. E, mais ainda, seguindo metodologias diversificadas, como é claro na dispersão do Museu Difuso Urbano em face da concentração metropolitana do Sesc Limeira.

Quando esse edifício for concluído, o mundo terá mudado. Estamos a sair do século XX e a entrar no século XXI, e ninguém está preparado. Como dizia, a praça central do Sesc Limeira parece-me já estar do lado de lá; o "som do futuro" irá ouvir-se como eco. Talvez o século XXI se reconheça nesse gigantesco galpão, contendo a natureza, como se vivêssemos no mundo pós-apocalíptico: "tanto jardim quanto pomar: jabuticabeiras, pitangueiras e outras mirtáceas", "numa espécie de amálgama possível de cidade" que "interligará os bairros populares".

Talvez o século XXI nos remeta a galpões que são casas, escolas, museus inscritos nas paredes de preexistências, contentores, pavilhões, cápsulas. A arquitetura brasileira do século XX era afinal um último classicismo, um longo poema de despedida, deixando Brasília para trás. Patrimônio da humanidade: Versailles, Le Corbusier, Lucio Costa, arquitetura moderna.

O Teatro Oficina, de Lina Bo Bardi, que também se vê na Casa no Morro do Querosene, é um galpão sem fim à vista, e parece ter entrado precocemente no século XXI. Talvez os arquitetos venham a ser curadores de galpões biomórficos, onde se vendem milagrosas curas para a covid-308. A praça central do Sesc Limeira será o primeiro.

E o gruposp, sem deixar cair o bastão, vai estar lá, um pouco mais adiante.

---

Jorge Figueira é arquiteto formado pela Universidade do Porto (1992), doutor pela Universidade de Coimbra (2009). Professor associado e diretor entre 2010-2017 do Departamento de Arquitectura da Faculdade de Ciências e Tecnologia da Universidade de Coimbra. Investigador do Centro de Estudos Sociais, UC. Crítico e curador.

---

1 Caetano Veloso *apud* Mario Cesar Carvalho, "Entrevistas históricas: o risco moderno", entrevista a Lucio Costa, *Folha de S.Paulo*, "Especial Mais!", 23 jul. 1995. Disponível em: www1.folha.uol.com.br/fsp/especial/mais/historia/230795.htm. Acesso em: 26 jul. 2020.
2 Ana Vaz Milheiro (2006), "Coletivo: a invenção do clássico", *in*: Ana Luiza Nobre; Ana Vaz Milheiro; Guilherme Wisnik, *Coletivo: arquitetura paulista contemporânea*, São Paulo: Cosac & Naify, 2006, pp. 86-96.
3 Expressão usada em Brasília para se referir às alças de acesso a vias transversais aos eixos principais, que levam às superquadras.
4 Coletivo (2006), "Coletivo: a arquitetura paulista contemporânea", *in* Ana Luiza Nobre; Ana Vaz Milheiro; Guilherme Wisnik, *op. cit.*, p. 13.
5 Jorge Figueira, "Kenneth Frampton. A arquitectura foi sempre uma arte burguesa", entrevista a Kenneth Frampton, *Público*, Ípsilon, 7 fev. 2014. Disponível em: www.publico.pt/2014/02/07/culturaipsilon/noticia/kenneth-frampton-a-arquitectura-foi-sempre-uma-arte-burguesa-330532. Acesso em: 26 jul. 2020.

# MUSEU DIFUSO E URBANO

SÃO PAULO, SP, 2013

O gruposp foi um dos cinco escritórios convidados por Lisette Lagnado, curadora do 33º Panorama de Arte Brasileira – "P33: Formas únicas de continuidade no espaço", a criar uma nova sede (ou um anexo) para o MAM São Paulo. Projeto de caráter especulativo, sua natureza, nos termos da curadoria, se aproxima da utopia artística, uma vez que o museu não estava buscando uma nova sede.

Propuseram levar de volta o MAM para o centro da cidade. Traço distintivo em relação aos demais projetos, que mantinham o museu no conjunto do Ibirapuera.

Entre diversos edifícios na vizinhança da primeira sede do museu na rua Sete de Abril, identificaram aqueles que reconheceram como sendo de interesse histórico arquitetônico. Somaram a eles um elegante e inédito corpo edificado. O novo edifício lâmina, aderido a uma empena cega, configurou uma renovada esquina.

O retorno ao centro e a compreensão de que um conjunto arquitetônico pode ocorrer como conjunto difuso – a partir do interesse urbano, considerando a deambulação entre edifícios – permitem reconhecer uma visão de arquitetura menos interessada em uma eficiente resposta a certa encomenda e mais atenta a oportunidades que podem decorrer do enunciado livremente interpretado.

<u>Um museu difundido, inclusivo e organizado por um percurso múltiplo conformado pelas ruas da cidade, inserido, portanto, no espaço urbano. Relacionando diretamente com a história do MAM, imaginamos quatro espaços na rua Sete de Abril, dos quais três serão ocupados por artistas participantes do 33º Panorama. O primeiro ponto do MAM seria sua "bilheteria", localizada no térreo do Edifício Esther (1936). Seguindo pela rua Sete de Abril, se alcançaria a reserva técnica do museu, a ser construída em uma empena vazia da esquina com a rua Dom José de Barros. Mais à frente, na mesma rua, o visitante depararia com outros espaços expositivos: o Edifício Guinle (1944), onde nasceram o Masp (1947) e o MAM (1948), em cujo térreo hoje funciona uma agência bancária; e a Galeria Nova Barão (1962). Durante o P33, esses espaços exibem obras de Federico Herrero, Arto Lindsay e Dominique Gonzalez-Foerster.</u>

# 22

A. Corte longitudinal
B. Planta nível 748,00 térreo
C. Planta nível 755,50
D. Planta nível 763,00
E. Planta nível 770,50
F. Planta nível 795,50

0  5  10m
1:750

A.

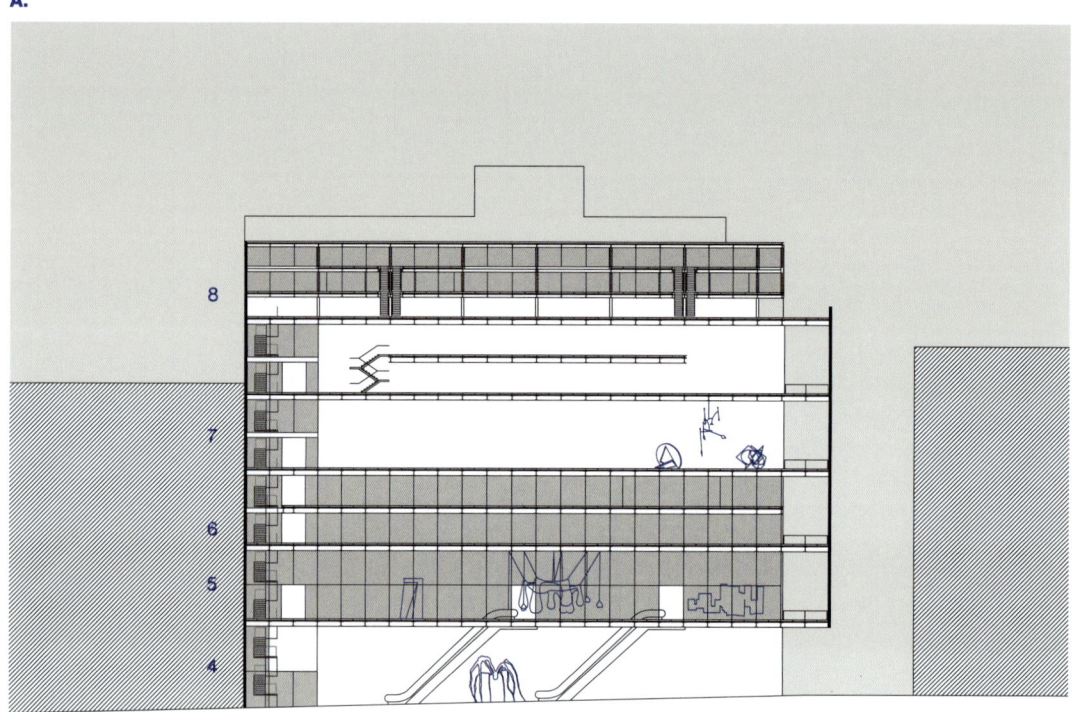

B.

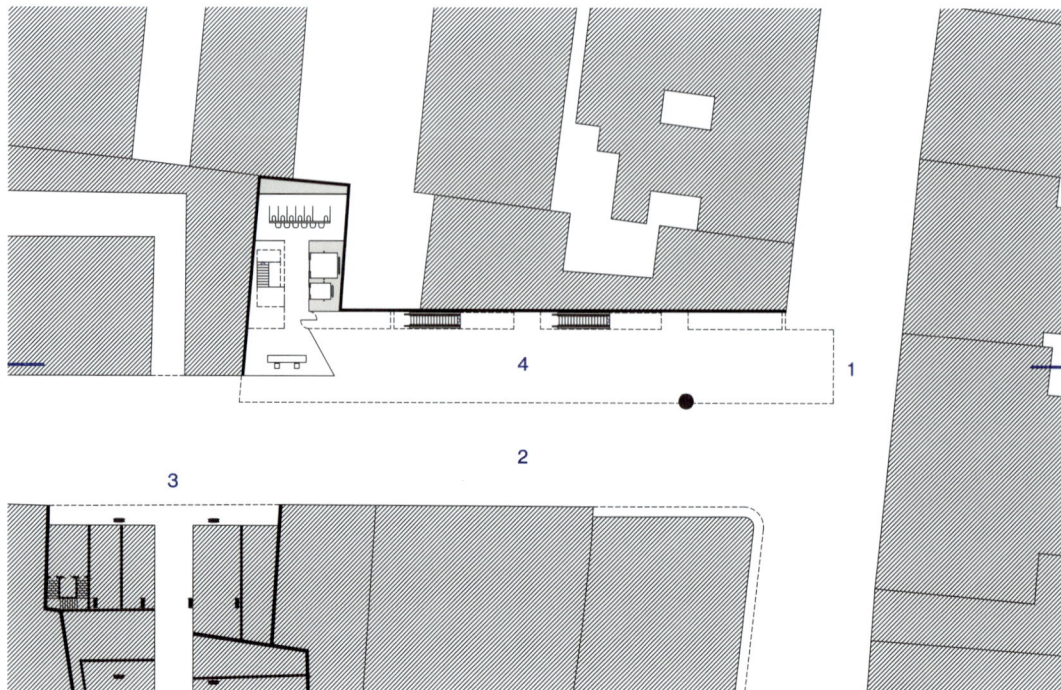

1. Rua Sete de Abril
2. Rua D. José de Barros
3. Galeria Califórnia
4. Acesso
5. Galeria
6. Biblioteca
7. Acervo
8. Residência artística

**C.**

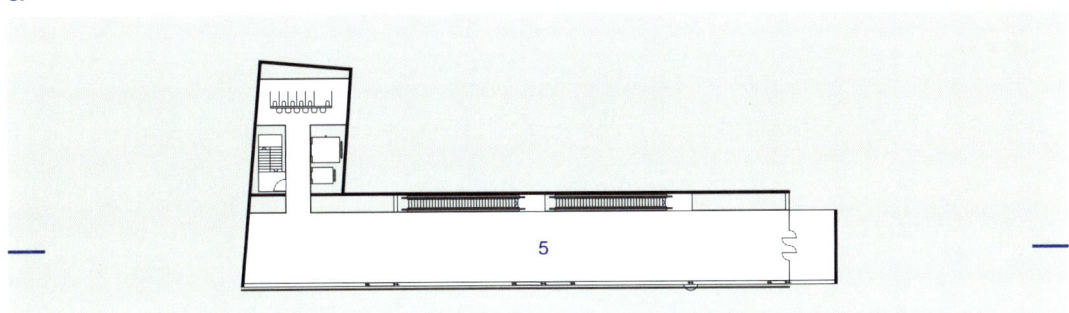

**D.**

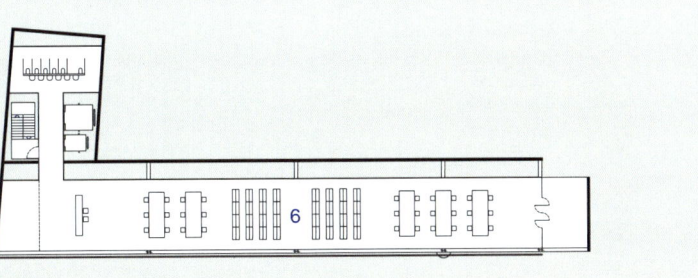

**E.**

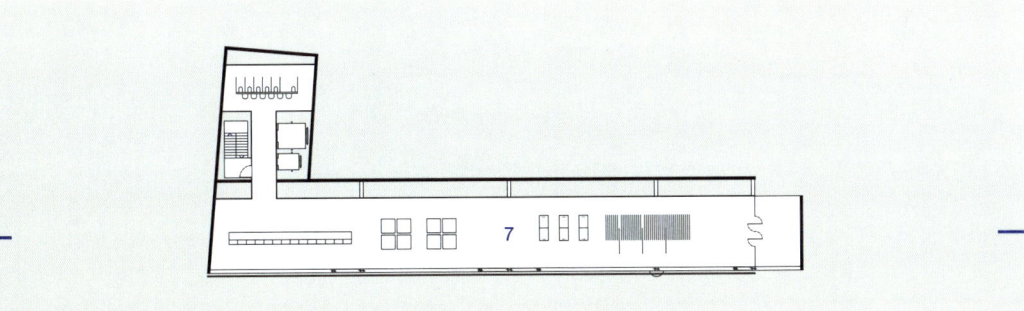

**F.**

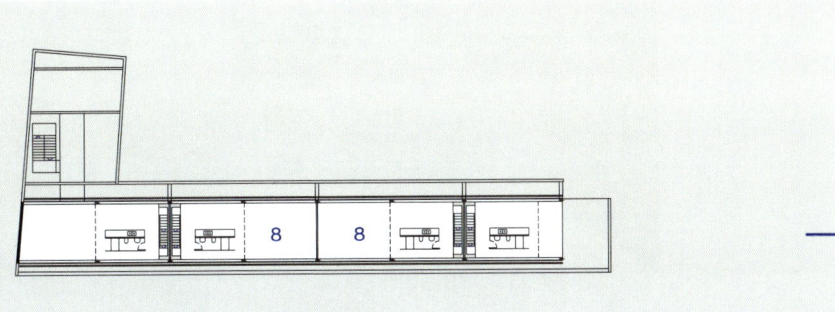

## 24

Empena cega na esquina das ruas Sete de Abril e D. José de Barros, intervenção do artista Federico Herrero e local do edifício técnico proposto pelo gruposp.

# ESCOLA PÚBLICA JD. TATIANA

VOTORANTIM, SP, 2006-2009

Procurou-se privilegiar um percurso e as visuais decorrentes do movimento neste espaço. Dessa forma, as rampas se abrem para visuais mais distantes, para a outra vertente do vale, aproveitando-se da situação topográfica original típica dessa borda da cidade. Da rampa também se desfruta do espaço da quadra ou praça coberta de atividades. Do outro lado, volta-se para o bairro e para a cidade, assim como para os espaços didáticos.

Esse belo edifício espraiado e aberto enquadra de modo variado a paisagem exterior, assim como constitui novas distâncias para revelar uma inventiva paisagem interior. Edita os recintos mais abrigados, como as salas de aula, em relação aos espaços animados e ruidosos, típicos dos momentos coletivos, como o pátio ou a quadra, como dois blocos separados, distintos pelas rampas que asseguram o intervalo e que revelam a outra vertente do vale.

O jardim urbano triangular resultante dos blocos em relação ao terreno constitui desejável antessala, altera a perspectiva de quem de dentro da escola avista a cidade e, de modo contrário, de quem vislumbra os generosos e abertos espaços da escola a partir da rua.

O uso pertinente dos elementos construtivos padrão da Fundação para o Desenvolvimento da Educação (FDE) está associado a uma inventiva revisão de suas possibilidades.

O que melhor distingue essa vibrante escola é sua rica porosidade. Constrói novos enquadramentos visuais, somados a uma variedade de caminhos. Quando abertos os portões, as crianças se dividem entre a rampa e as escadas, correm e se espraiam de modo rizomático para acessar as salas de aula.

A pequena escola estadual tem sua dignidade amparada pelo projeto, que a qualifica espacialmente e corresponde a um campo irradiador de valores desejáveis, fundamental entre tantos desafios no cotidiano das escolas públicas no Brasil atual. É um fato material a ensejar valiosa potência simbólica, apto a honrar a premissa inscrita no memorial:

A escola inserida no contexto urbano de limite de um bairro periférico acaba por constituir-se em referência e contribui para sua desejável organização.

**A. Planta níveis 97,60/99,00 térreo**  
**B. Planta nível 102,20 pav. superior**

01  5m  
1:500

A.

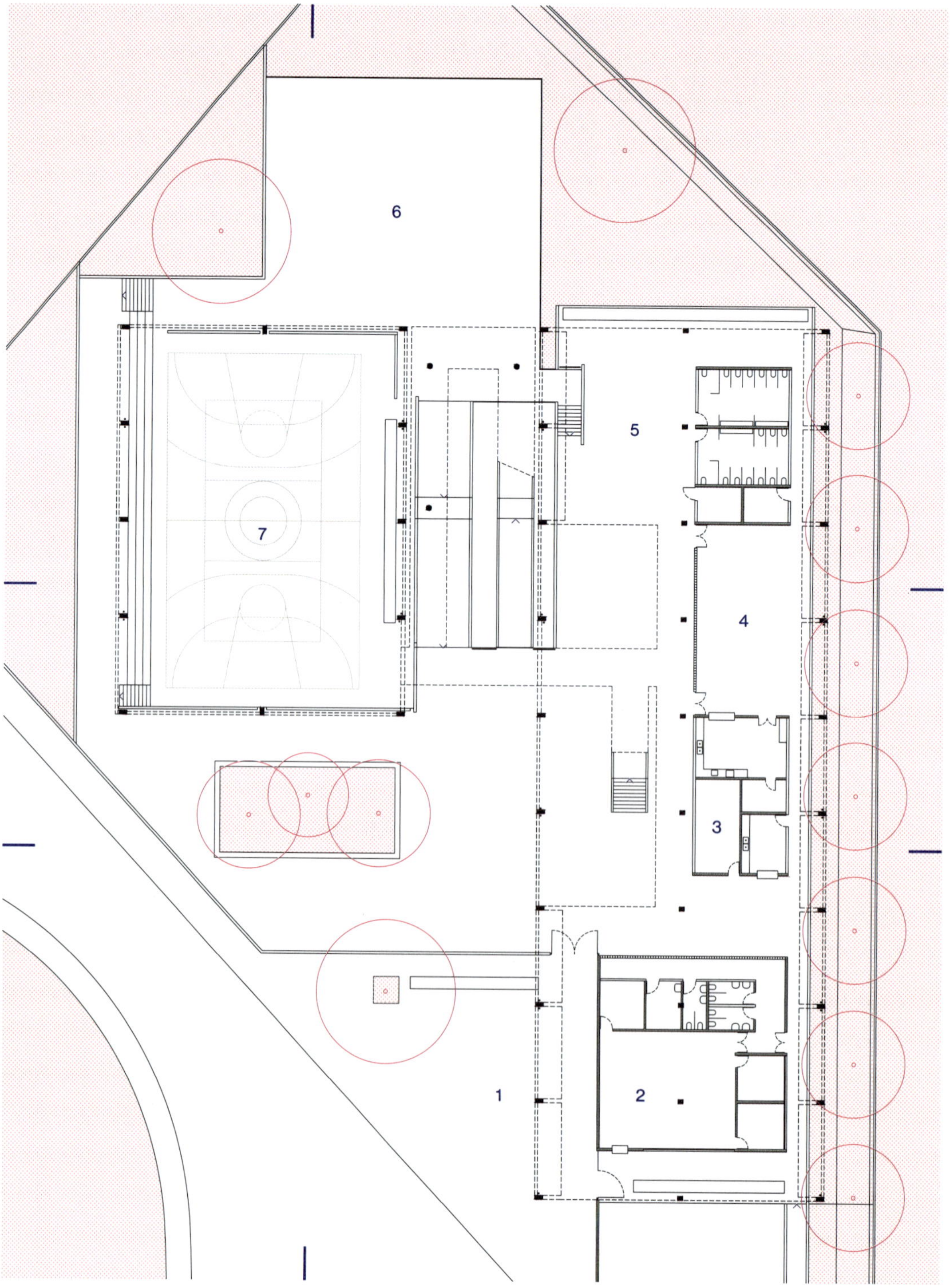

1. Praça de acesso
2. Bloco administrativo
3. Grêmio
4. Refeitório
5. Pátio coberto
6. Pátio descoberto
7. Quadra coberta
8. Informática
9. Leitura
10. Laboratório
11. Sala de aula

B.

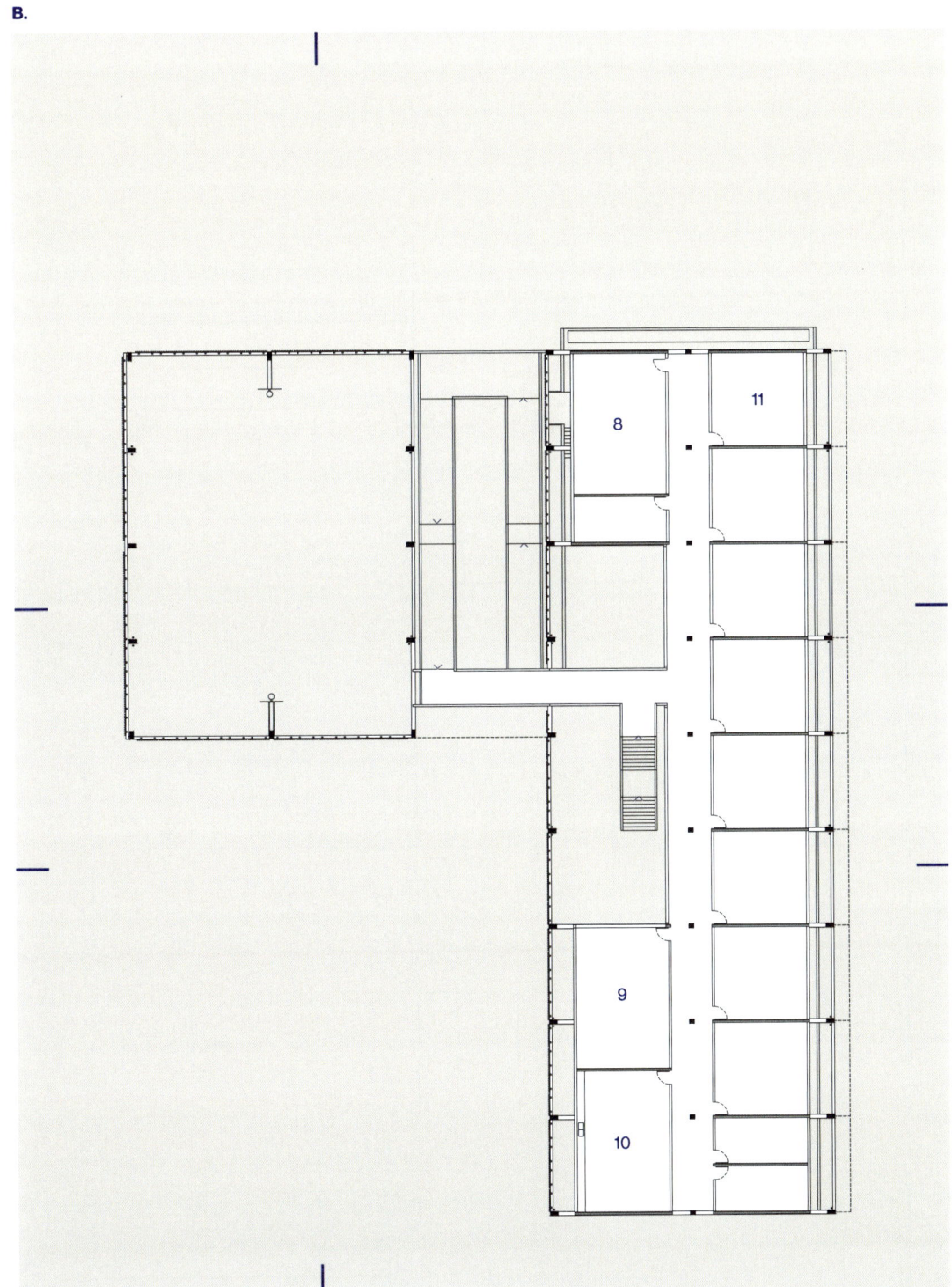

C. Corte transversal I
D. Corte transversal II
E. Corte longitudinal
F. Corte construtivo fachada sul

0 1   5m
1:500

C.

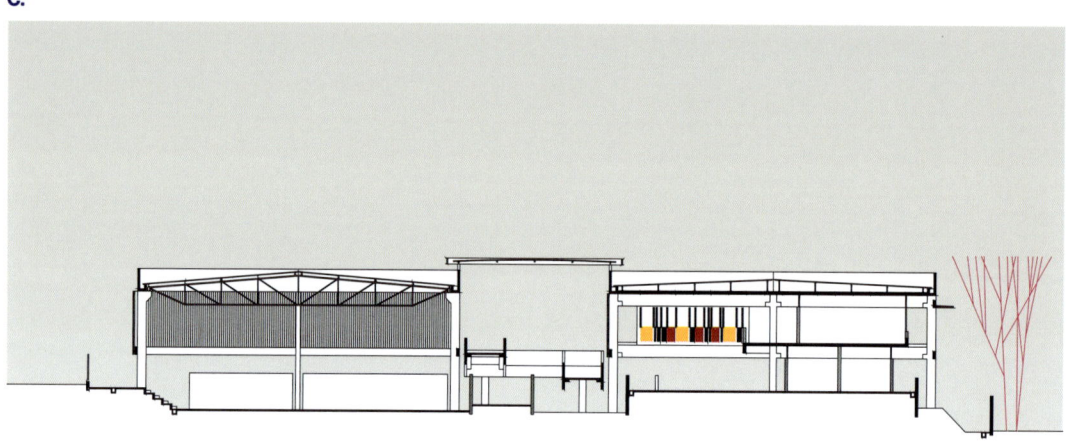

D.

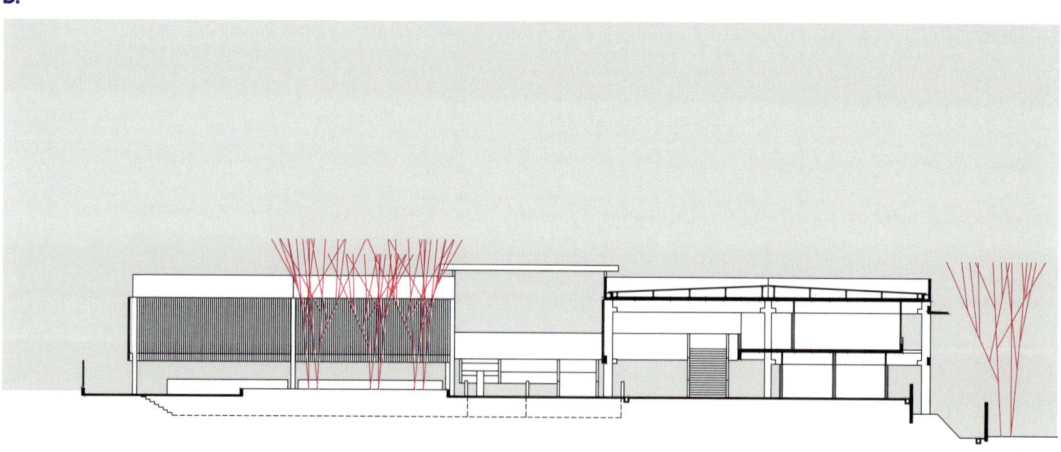

E.

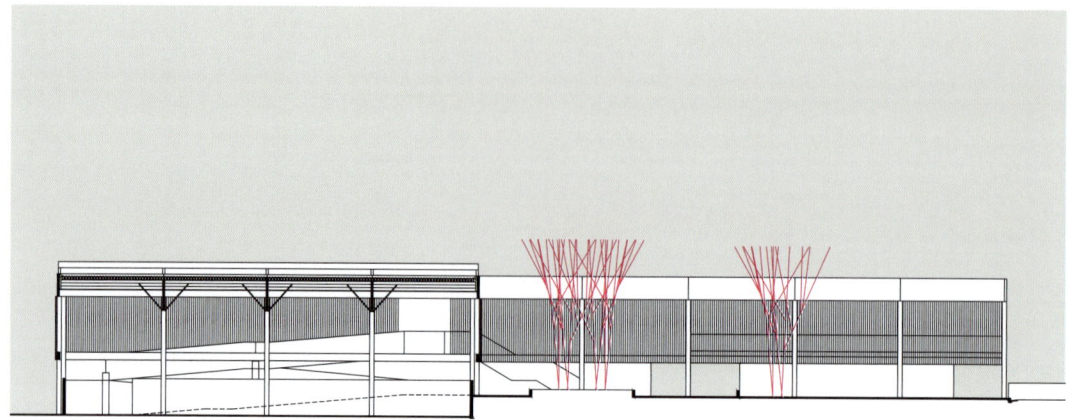

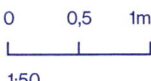

1. Telha de aço galvanizado
2. Platibanda em concreto pré-moldado
3. Viga calha em concreto pré-moldado
4. Laje de concreto pré-moldado
5. Viga em concreto pré-moldado
6. Pilar em concreto pré-moldado
7. Painel de madeira
8. Alvenaria de bloco de concreto

1:50

F.

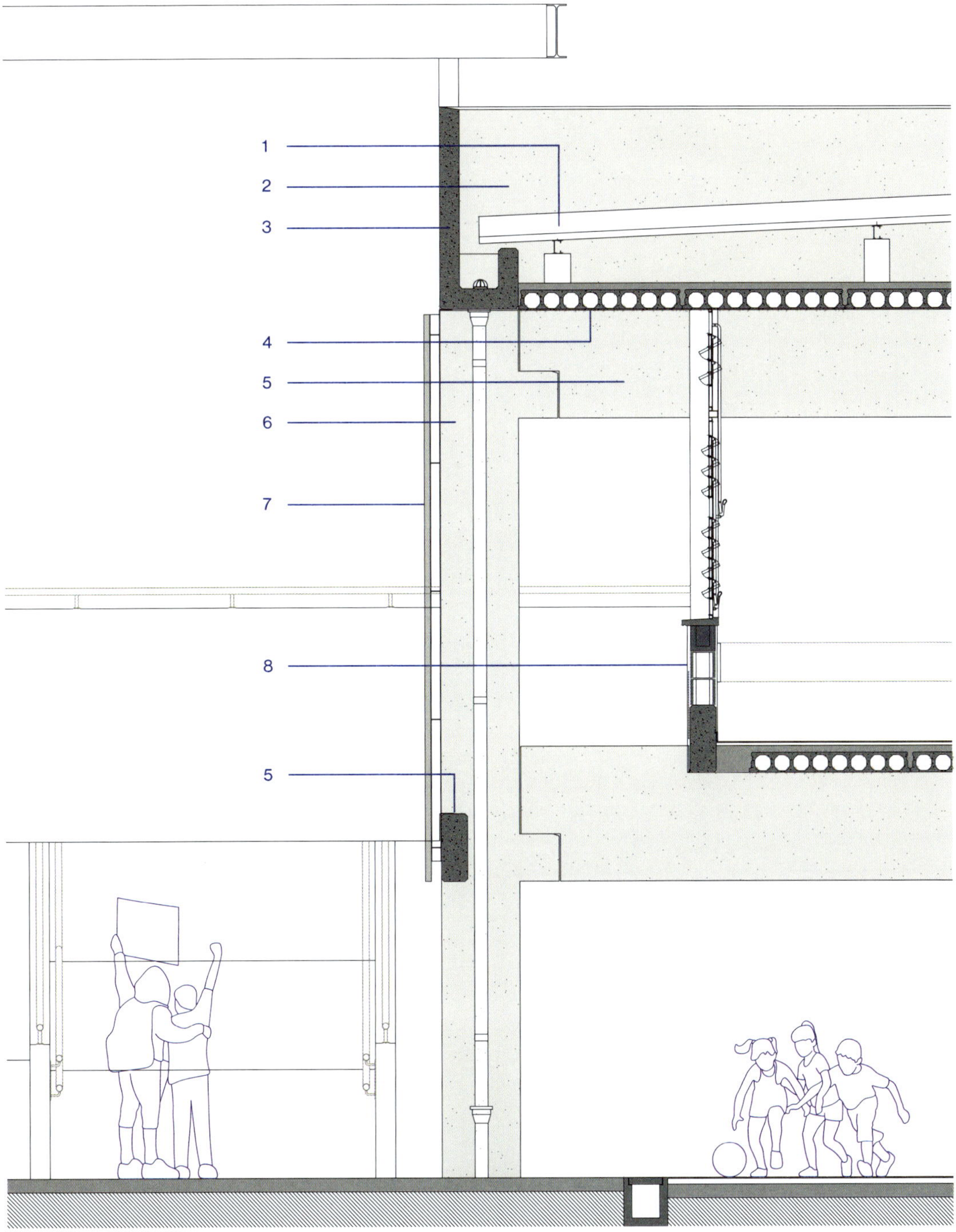

# MORADIA ESTUDANTIL UNIFESP

OSASCO E SÃO JOSÉ DOS CAMPOS, SP, 2015
COM JULIANA BRAGA E SÉRGIO MATERA

A concepção do projeto parte da solução da unidade habitacional, como um módulo espacial versátil e flexível que admite todas as organizações sugeridas. Em seguida, procura entender a possível articulação dessas unidades por meio da estrutura e dos elementos de circulação vertical e horizontal que conformam o edifício. Finalmente, dedica-se à inserção desses objetos nas áreas delimitadas, explorando as múltiplas possibilidades que o sistema oferta e configurando conjuntos arquitetônicos distintos, apesar de possuírem uma genética similar.

Com um tipo de construção inspirado na industrialização e em processos de montagem, a estrutura mista em concreto e aço ecoa o raciocínio modular que subjaz à premissa de organização dos espaços. A proposta, desenvolvida com Juliana Braga e Sérgio Matera, transforma a encomenda do edital em uma matriz de pensamento que permeia desde o programa até o método construtivo.

A unidade familiar corresponde a base modular. Com máxima utilização da área, a circulação se transforma em elemento articulador dos módulos dormitórios. O programa é constituído por um gradiente de espaços sociais — legíveis também como um gradiente de luminosidade. Do espaço mais individual até o público, ocorrem diferentes matizes de coletividade.

A disposição laminar das torres habitacionais articuladas por uma circulação vertical comum remete ao espaço de circulação e encontro entre moradores de unidades distintas proposto no Conjunto Habitacional Zezinho Magalhães Prado — Parque Cecap, projetado pelos arquitetos João Batista Vilanova Artigas, Fábio Penteado e Paulo Mendes da Rocha em 1968. Entretanto, o que no Parque Cecap é varanda/passagem, aqui, se transforma em varanda/estar. Reconhece-se o legado, que, no entanto, é transformado.

A especificidade de cada conjunto, em Osasco e em São José, será notada no térreo, no nível do chão, pois os módulos habitacionais radicalizam o que é comum — a vivência estudantil e os desafios de ensejar novas moradas. O que é diferente, porque único e particular a cada caso, é o desenho da implantação, onde cada uma dessas moradas encontra o solo mantido público. Preserva-se um valor relevante para o escritório, a permeabilidade de um chão comum, animado pelos usos coletivos.

# 36

A. Planta módulo habitacional
B. Corte construtivo transversal

0  0,5  1,5m
1:100

A.

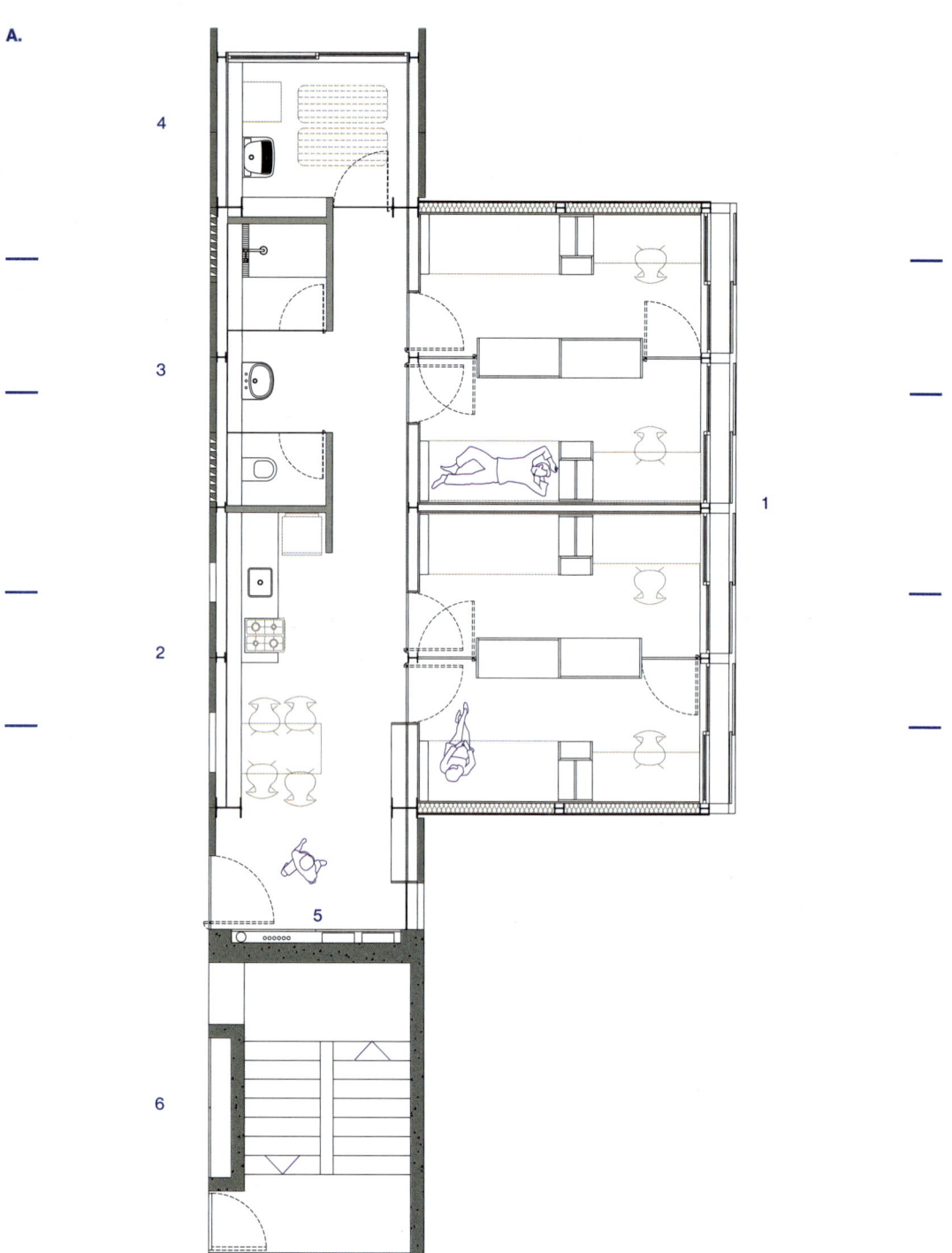

1. Módulo dormitórios individual e família
2. Cozinha
3. Banheiro
4. Lavanderia
5. Prumada de instalações
6. Prumada de circulação vertical
7. Viga metálica
8. Pilar metálico
9. Painel de concreto pré-fabricado
10. Alvenaria leve
11. Laje de concreto
12. Forro de gesso
13. Painel de gesso
14. Vidro incolor
15. Estrutura de transição em concreto
16. Pilar de concreto
17. Painel de sombreamento
18. Caixilho metálico
19. Painel de madeira

**B.**

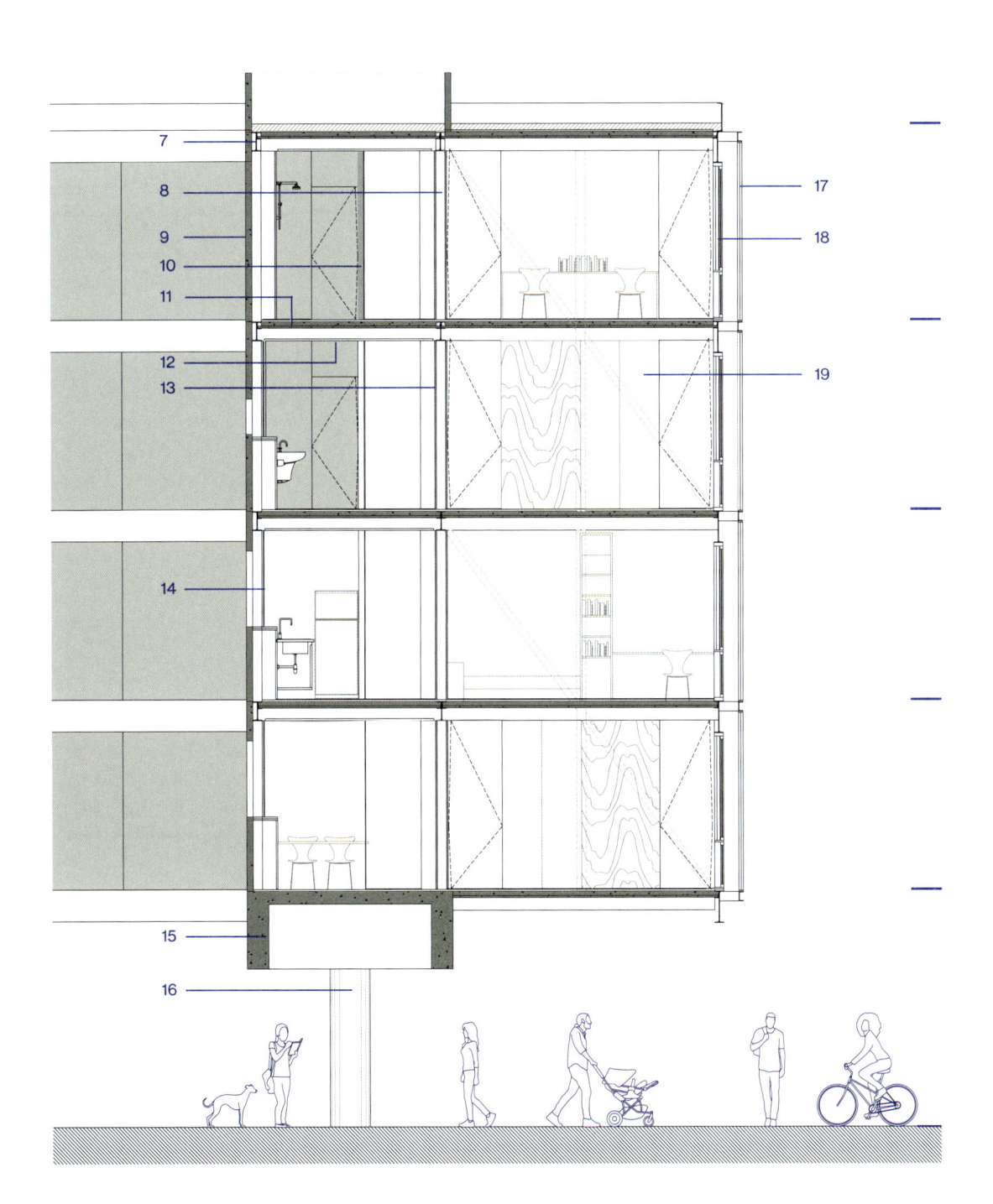

# 38

**C. Perspectiva módulo habitacional** — Elementos componíveis pré-fabricados / estrutura de aço

C.

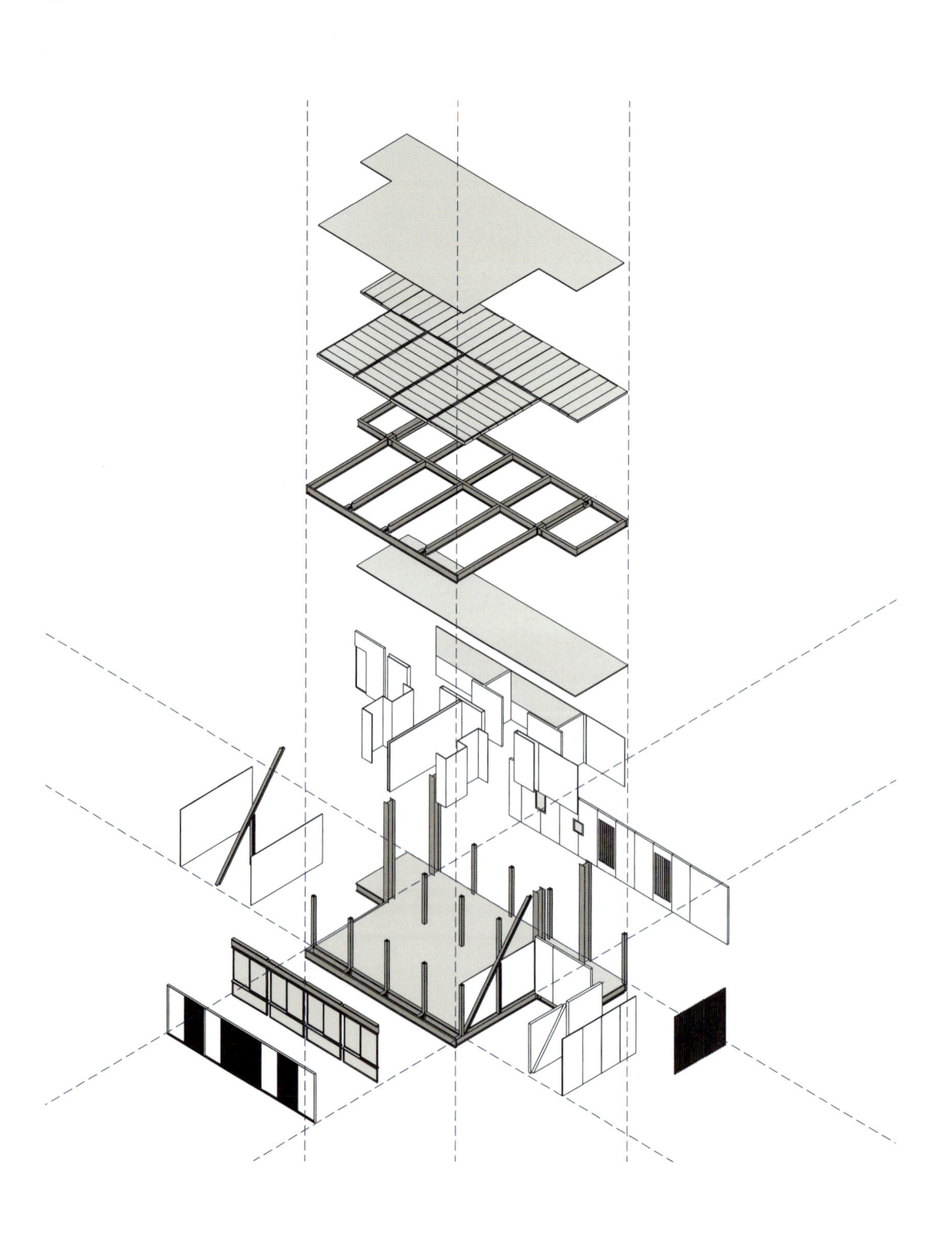

D. **Planta pav. tipo**
E. **Corte longitudinal**

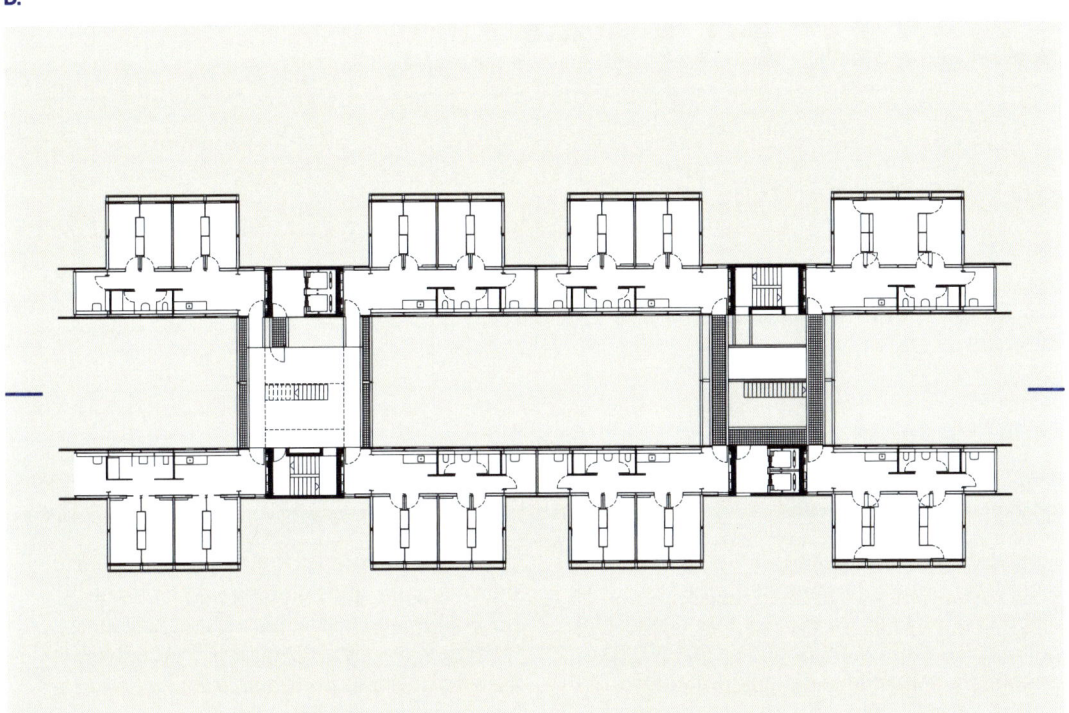

0 1  5m
1:500

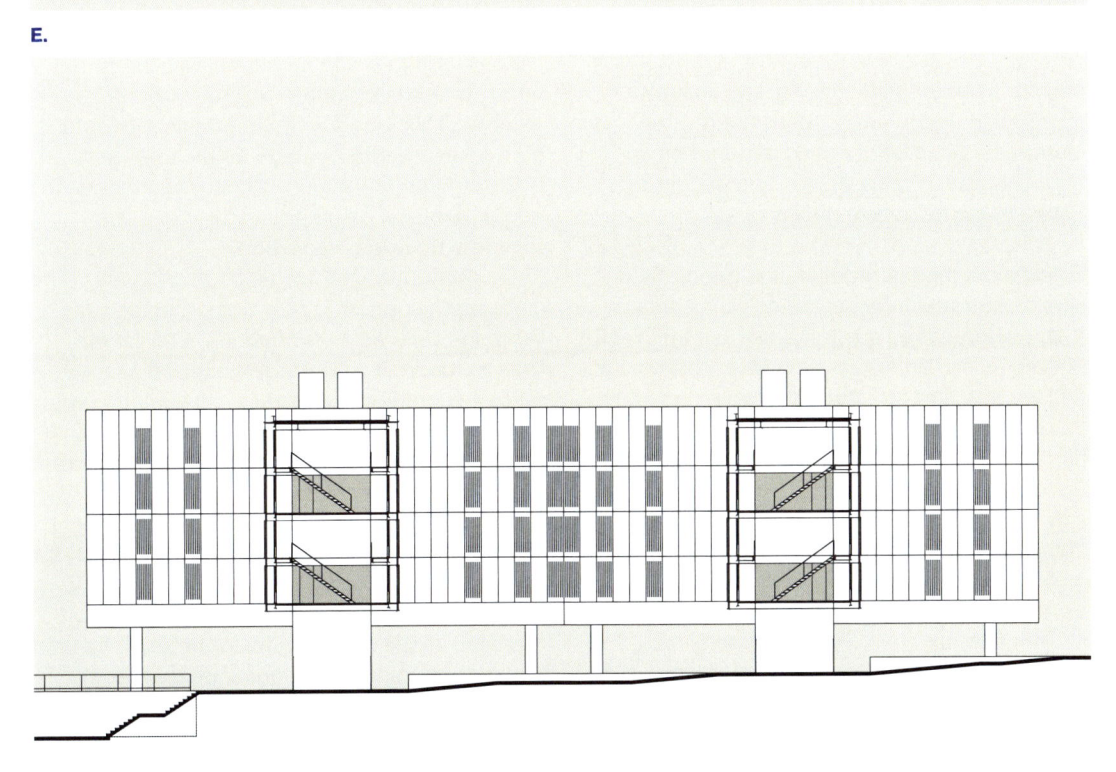

# EDIFÍCIO SIMPATIA

SÃO PAULO, SP, 2007-2010

A cidade em que moramos e vivemos é marcada por uma densa ocupação que dificulta a percepção, seja de sua topografia original, seja dos seus poucos espaços não ocupados, sobretudo aqueles definidos e configurados pelo sítio original, pelos fenômenos geográficos — o assoalho primitivo. Um dos desafios para os arquitetos paulistas neste século talvez seja insistir na construção do vazio como quem abre clareiras e possibilita novas dimensões e espaços para o convívio em nossa cidade. Este edifício se insere nessa tese.

O Edifício Simpatia redesenha a geografia do sítio de sua implantação, sendo ao mesmo tempo aderente e subversivo em sua instalação. Por um lado, o projeto acomoda o programa a um desnível abrupto; por outro, inventa platôs antes inexistentes, descortinando novos horizontes visuais. O reconhecimento criterioso da topografia, que ocorre simultaneamente a sua reinvenção, é um dos traços característicos dos arquitetos.

A torre habitacional, aérea, contrasta com as áreas comuns e o bloco de serviços, inferior e assentado ao chão. Entre os dois blocos, surge uma laje livre, à qual se tem acesso por uma passarela. Essa laje configura um dos novos planos no vale e dali se vê, de forma desimpedida, sua vertente oposta. Na parte baixa do vale, abre-se uma pequena praça pública, pouco visível para quem habita as unidades. No entanto, o local é reconhecido e muito utilizado por quem transita na rua Medeiros de Albuquerque.

Os apartamentos levam ao limite a flexibilidade prevista na planta livre moderna, ampliando sua compreensão também para as áreas molhadas. A aposta da construtora foi rigorosamente acatada pelos arquitetos. A experiência permitiu, ao final, reconhecer que a hipótese foi menos usufruída pelos usuários do que o esperado.

Os dois apartamentos de cada andar se distinguem sobretudo pela proporção de suas varandas: uma delas é longilínea, a correr em toda a extensão da unidade, ao passo que a outra se configura como mais um cômodo para estar. Denotam reconhecimento no interesse de espacialidades que distinguem modos de morar.

A decisão de manter um corredor de circulação aberto faz com que o olhar se volte novamente para fora: a circulação por cada andar se transforma em um passeio por uma espécie de varanda-corredor, algo possível no clima brasileiro, e que constitui um dos atrativos de uma proposta que se deseja permeável e arejada.

O detalhamento criterioso e a escolha atenta dos materiais são nítidos na vivência do lugar.

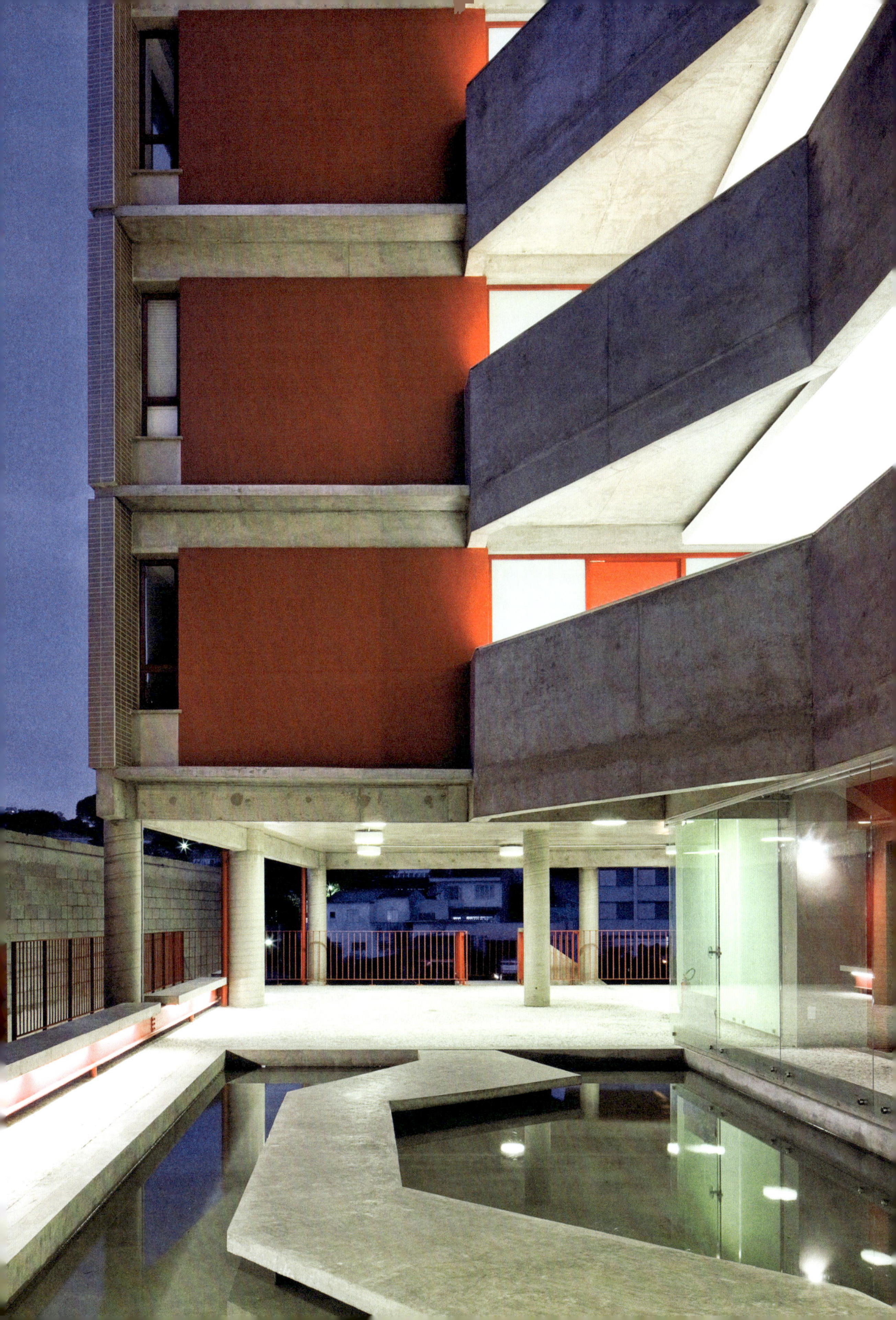

42

A. **Planta**
nível 761,95
térreo inferior

B. **Planta**
nível 764,75
térreo superior

C. **Planta**
nível 767,18
1º pavimento

D. **Planta pav. tipo**
E. **Corte**
longitudinal

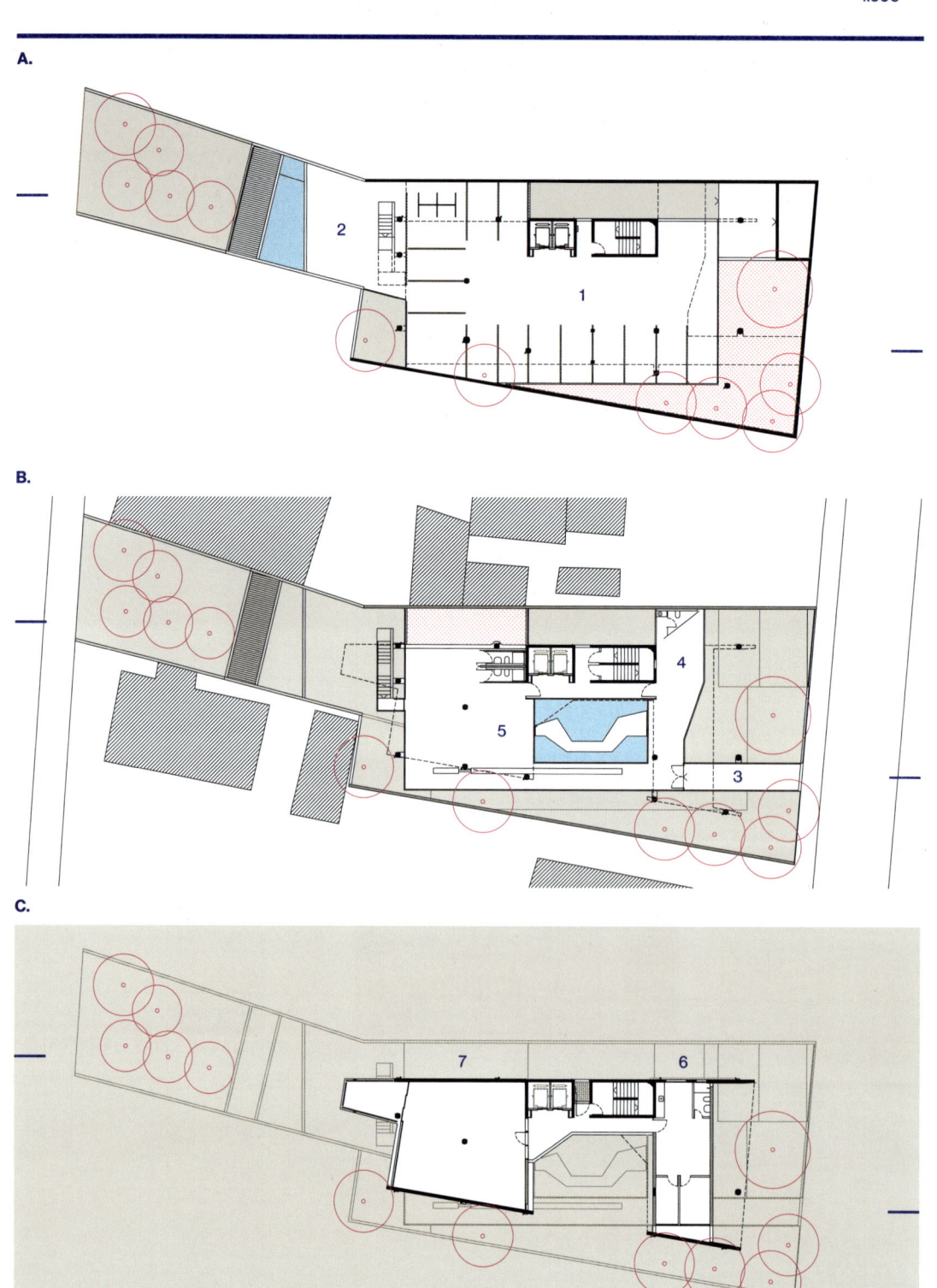

01  5m
1:500

1. Garagem
2. Solário, piscina e deque
3. Acesso
4. Portaria
5. Salão de festa
6. Zelador
7. Módulo habitacional Medeiros de Albuquerque
8. Módulo habitacional Simpatia

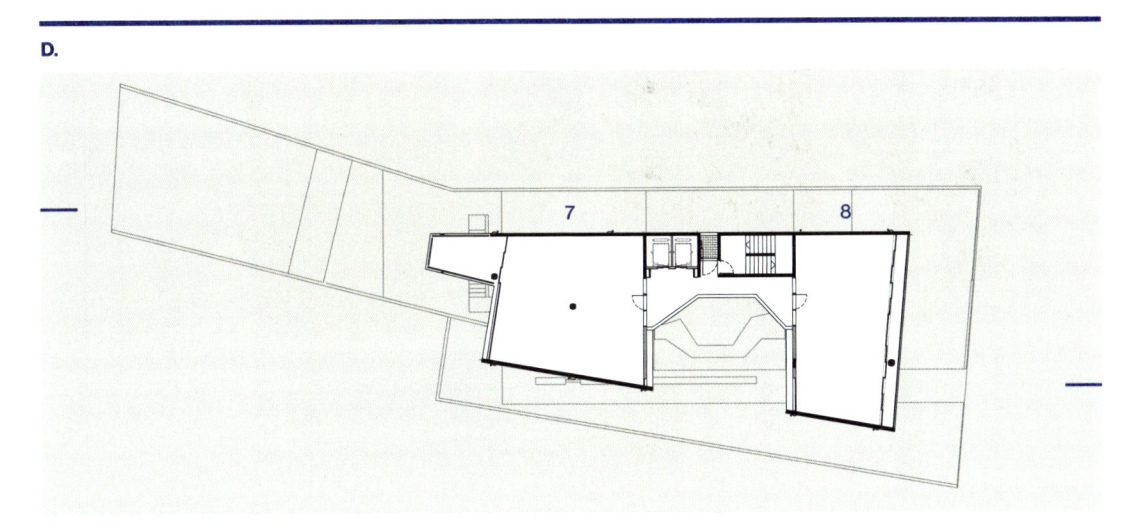

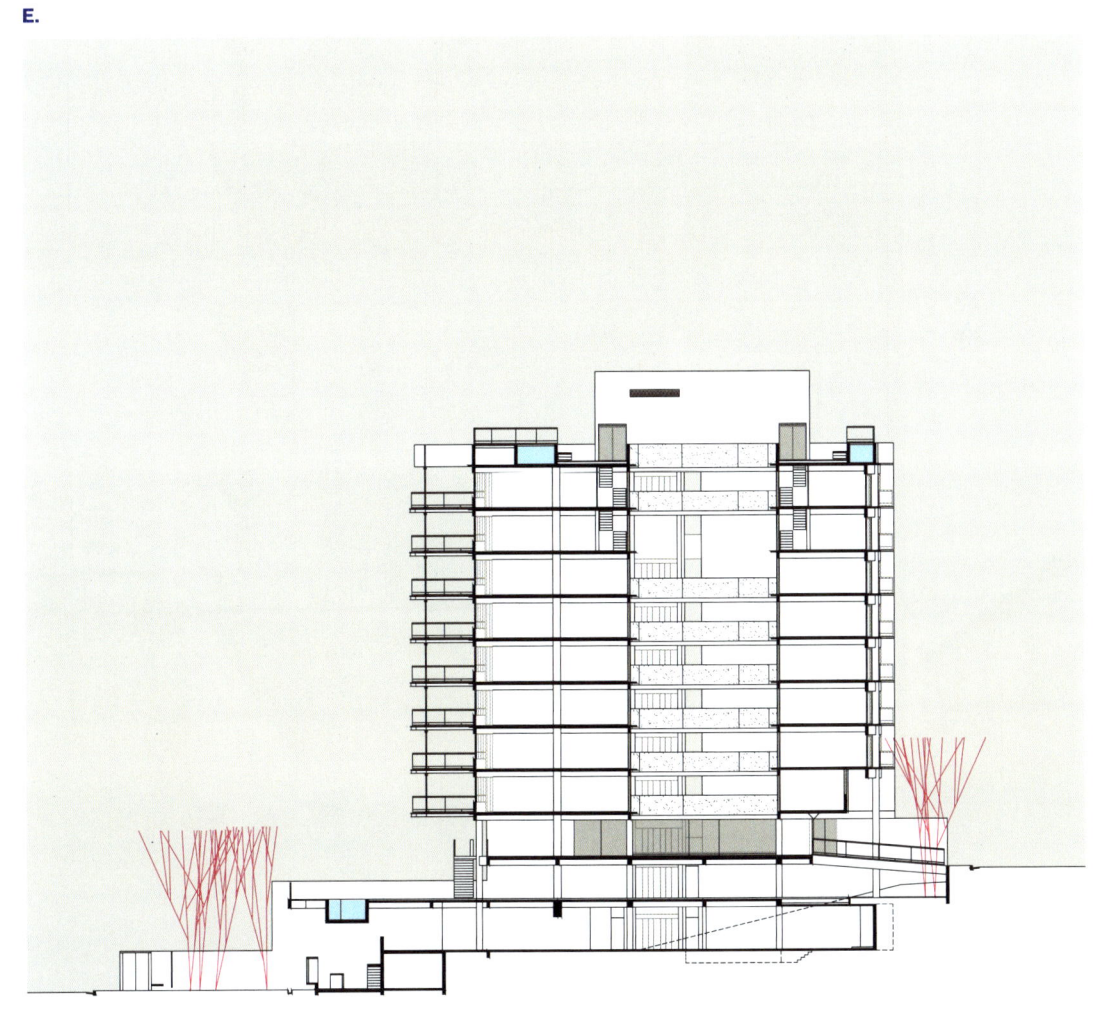

**D.**

**E.**

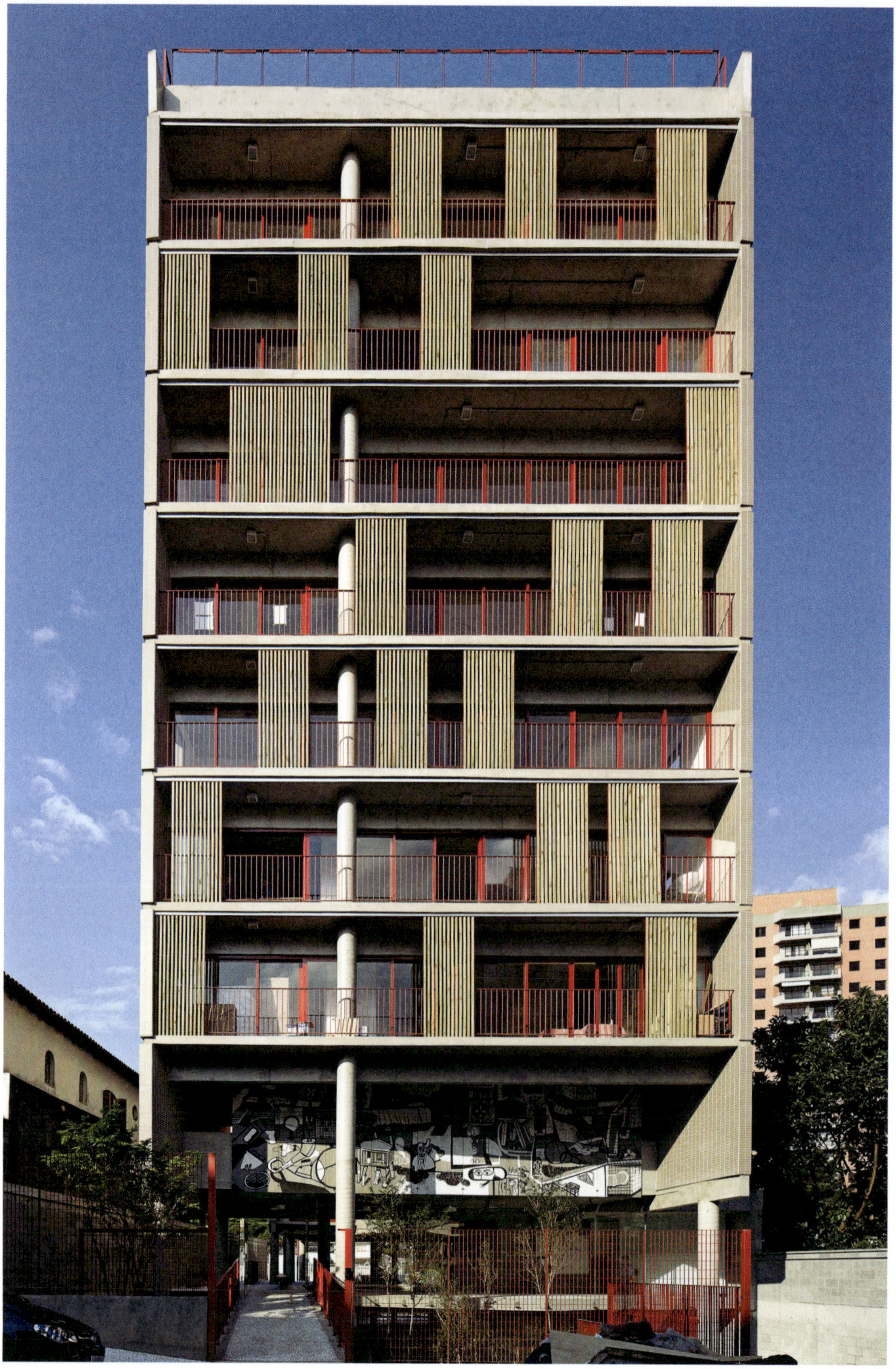

45

# CASA NO MORRO DO QUEROSENE

SÃO PAULO, SP, 2004-2008

O fato de grande porção do terreno situar-se três metros abaixo do nível da rua e a conformação típica desse lote urbano de 10×40 metros permitiram realizar a casa como um extenso espaço aberto que se relaciona de forma direta e transparente com a rua sem deixar de garantir a privacidade de seus usos.

A arquitetura é configurada a partir de um longitudinal vazio central, que se abre para a rua e para os fundos do terreno; conforma-se, de um lado, a "parede biblioteca" para 7.500 volumes e, de outro, junto à divisa do terreno, um bloco construído que abriga todos os serviços, equipamentos e dormitórios.

Construída em concreto com fechamentos de bloco aparente, a casa conta com uma estrutura auxiliar metálica que configura passarelas de acesso aos livros e espaços de estar, como o estúdio, e aos dois mezaninos que animam o ambiente, articulando visuais e permitindo usufruir do grande vazio.

A residência é a um só tempo abrigada e aberta. Os arquitetos valem-se do desnível e do recuo para manter transparência controlada em relação ao contato direto com a rua. Permite, da área do estar, ampla vista sobre o vale. Ao mesmo tempo, o bloco dormitório é cálido e sombreado, compondo outra escala de cômodos, outra luz. Edita, desse modo, a vida coletiva da família, irrigada de paisagem aberta, em relação à vida protegida e individualizada dos dormitórios.

Um curioso detalhe de fechamento articula visualmente o uso abrigado em relação ao estar coletivo. O vidro translúcido, material de fechamento dos banheiros, transforma-os em "luminária" interior, animando a paisagem da casa com a intermitência dos usos dos espaços.

Alguns traços surgem aqui e serão laboriosamente aprimorados em outras obras — a escada como estrutura continua em dobra solta nas laterais; a estrutura mista; a organização a partir de um vazio central; a radicalidade longitudinal na organização das plantas, de modo a permitir visão integral do lote desde o acesso à casa.

A casa adota soluções construtivas simples, reduzindo-se ao máximo as ações necessárias para sua realização. As instalações são aparentes, não sendo necessário interferir depois de executada a estrutura. Os acabamentos são simples: pisos monolíticos em ladrilho hidráulico vermelho. As paredes sem revestimento já estão prontas após serem executadas. Há uma única exceção a essa regra: a parede livre, que será revestida de livros, tempo e história.

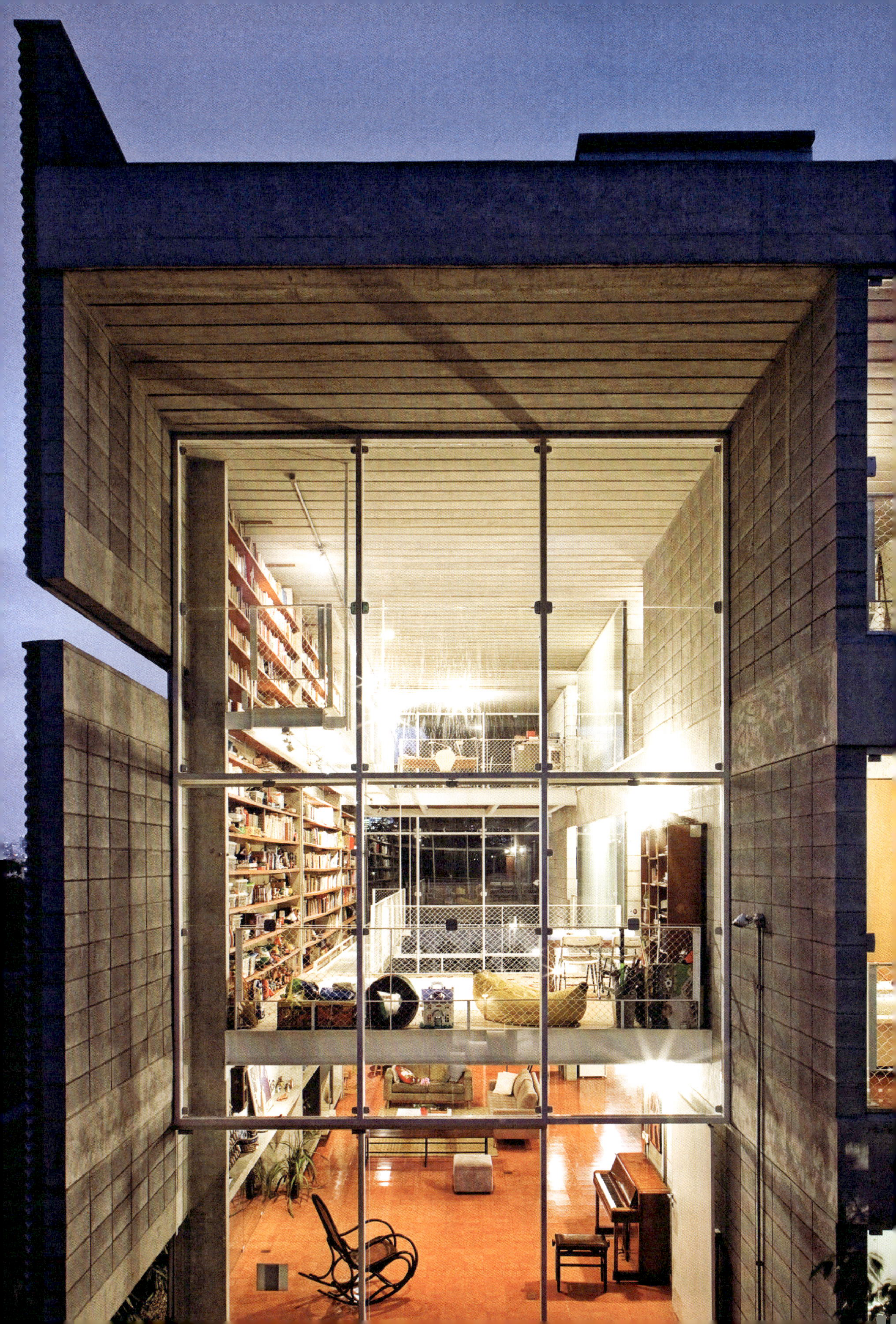

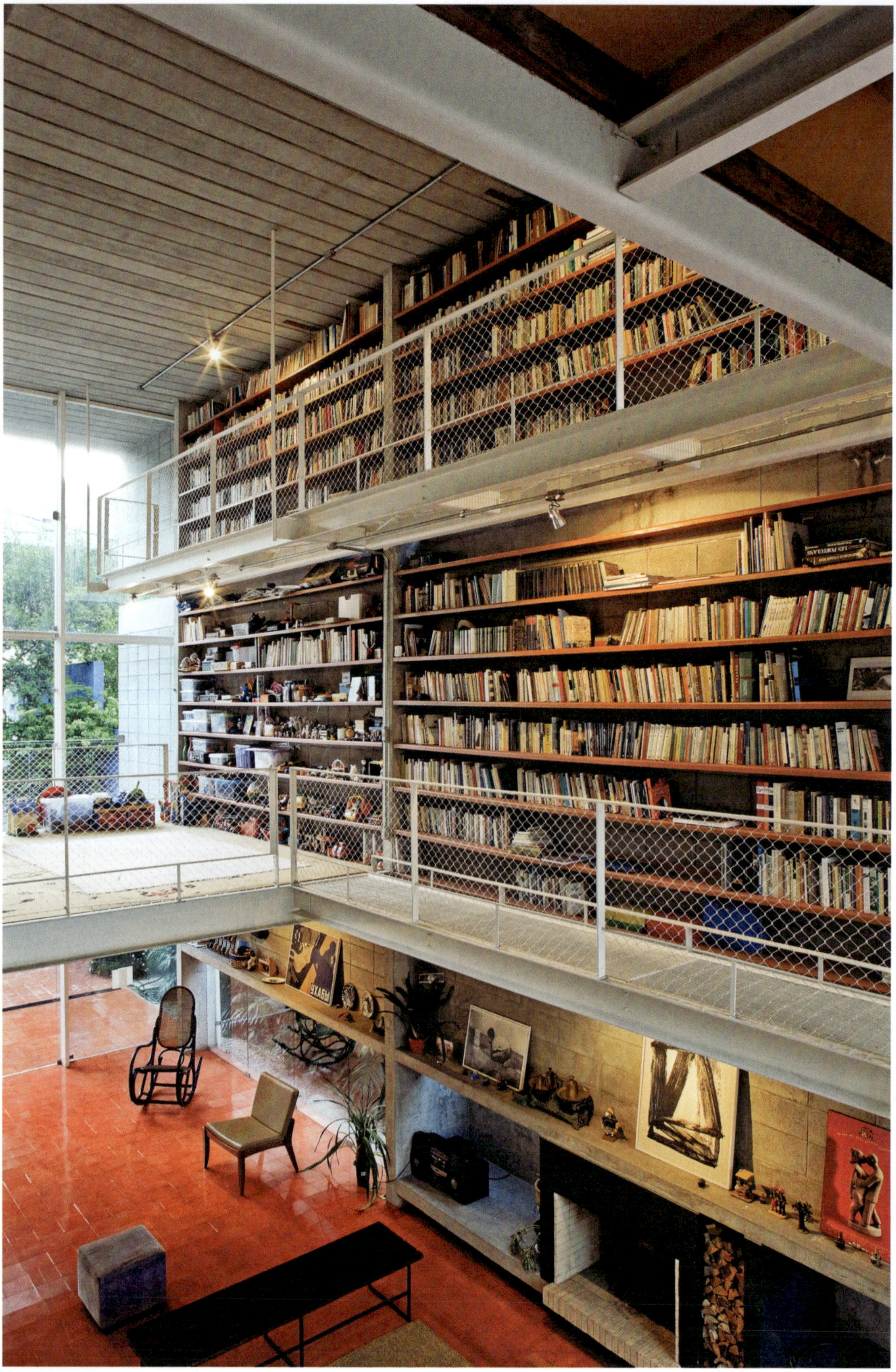

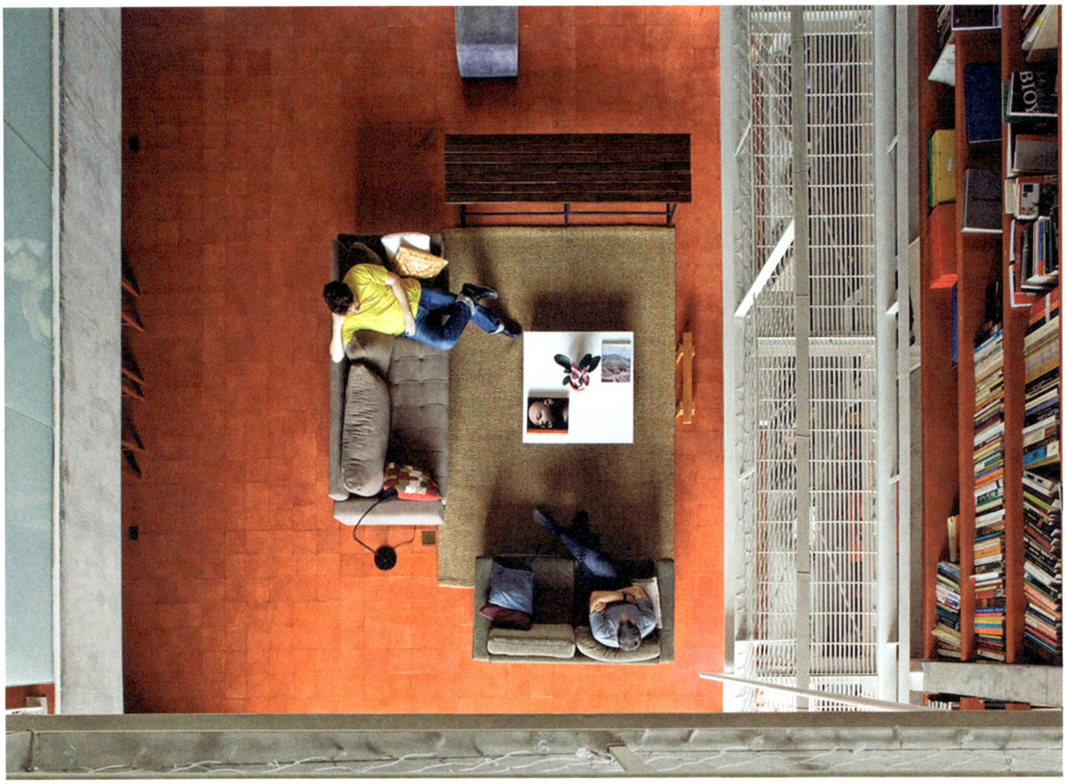

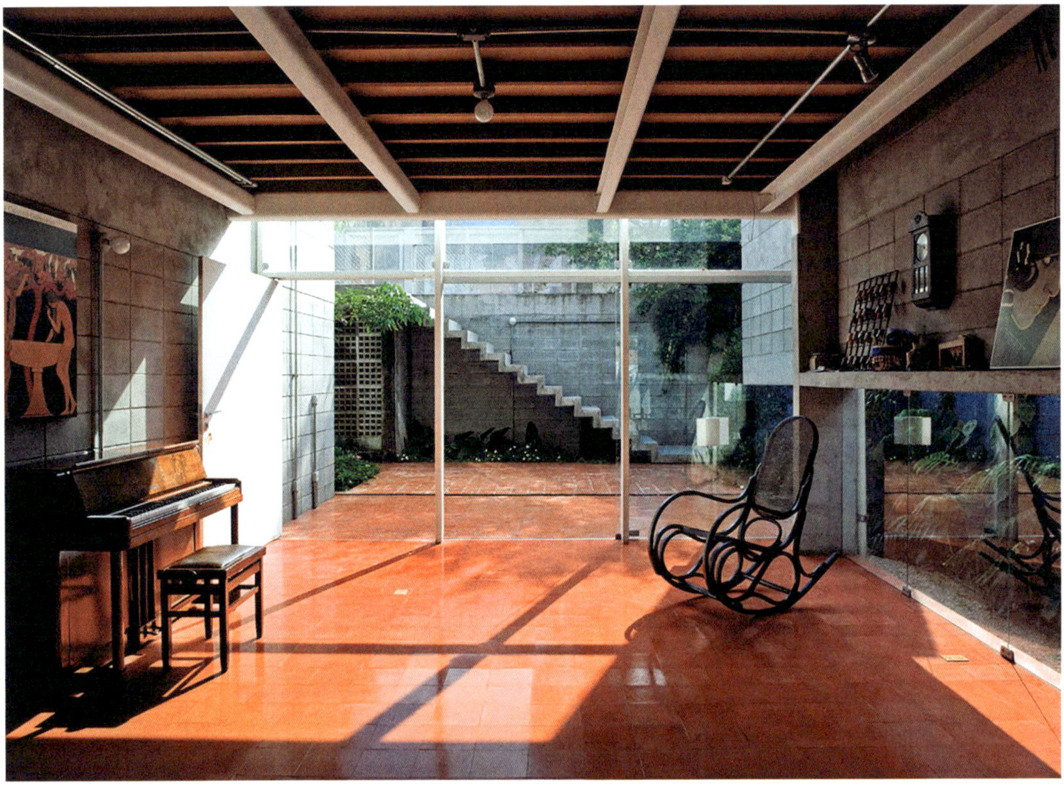

A. Planta nível 92,50
B. Planta nível 100,30
C. Planta nível 103,10
D. Planta nível 106,25
E. Corte longitudinal biblioteca
F. Corte longitudinal espaços servidos
G. Corte longitudinal circulação

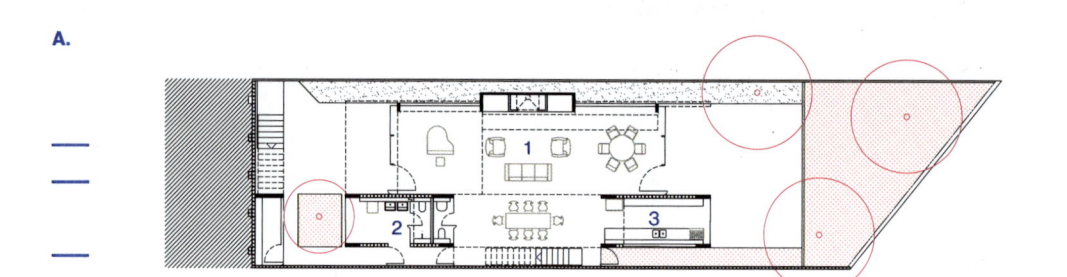

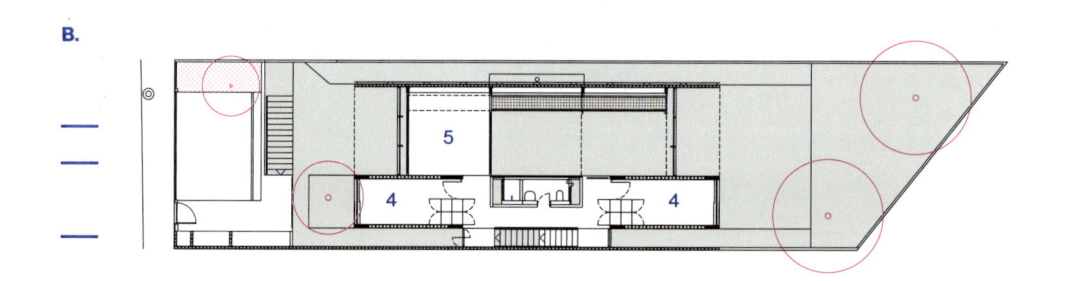

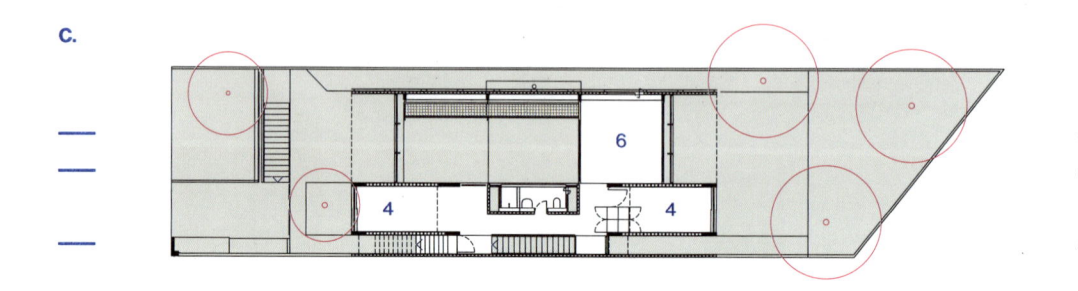

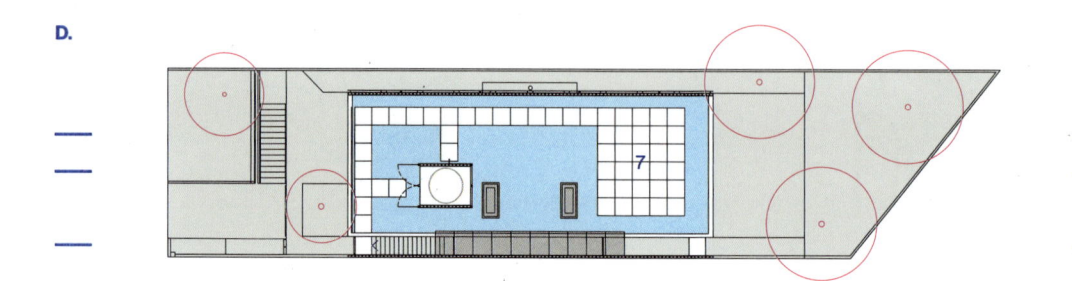

1. Estar
2. Serviços
3. Cozinha
4. Dormitório
5. Estúdio
6. Escritório
7. Mirante

0 1   5m
1:400

**E.**

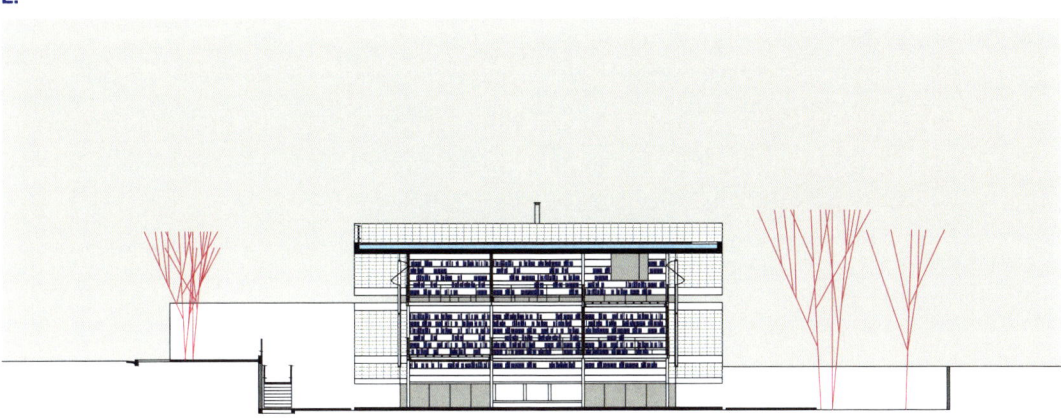

**F.**

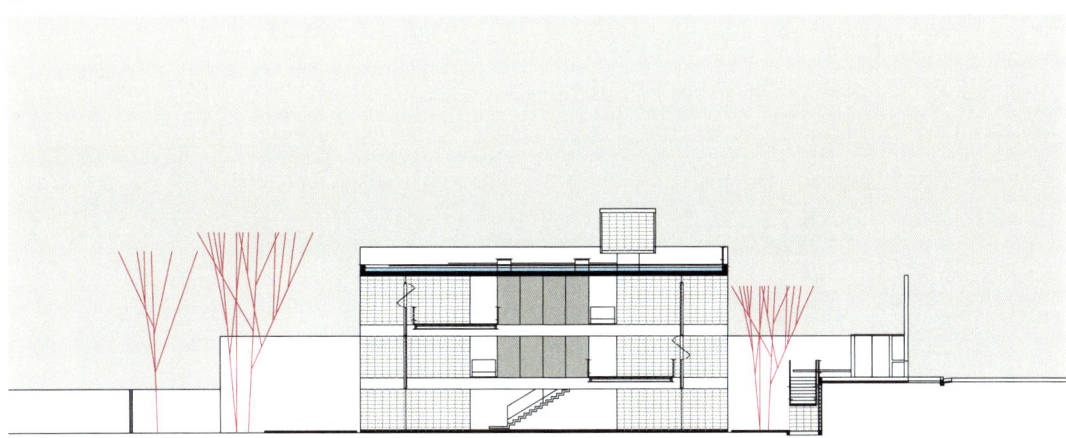

**G.**

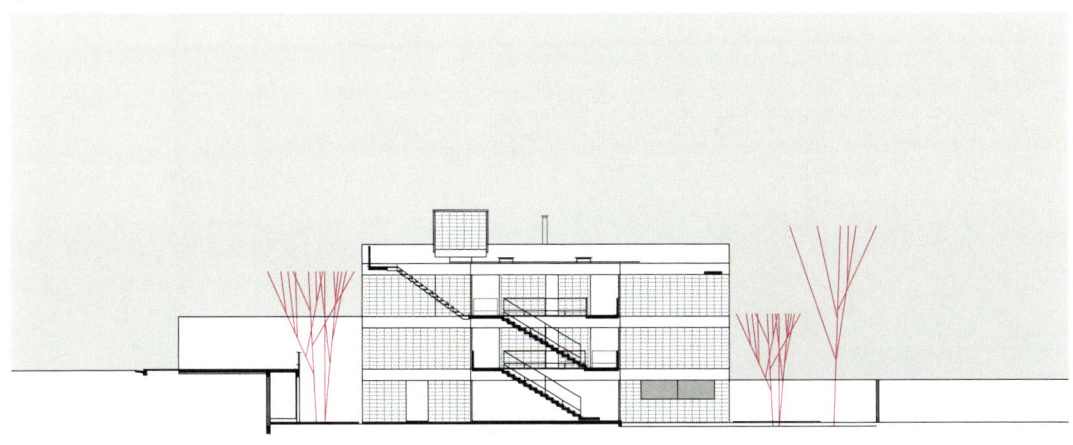

## 52

**H. Corte construtivo transversal**

1. Painel de sombreamento metálico
2. Espelho d'água
3. Viga de concreto
4. Laje de concreto
5. Tirante metálico
6. Bloco de concreto
7. Prateleira em chapa metálica lisa
8. Guarda-corpo metálico
9. Passarela metálica

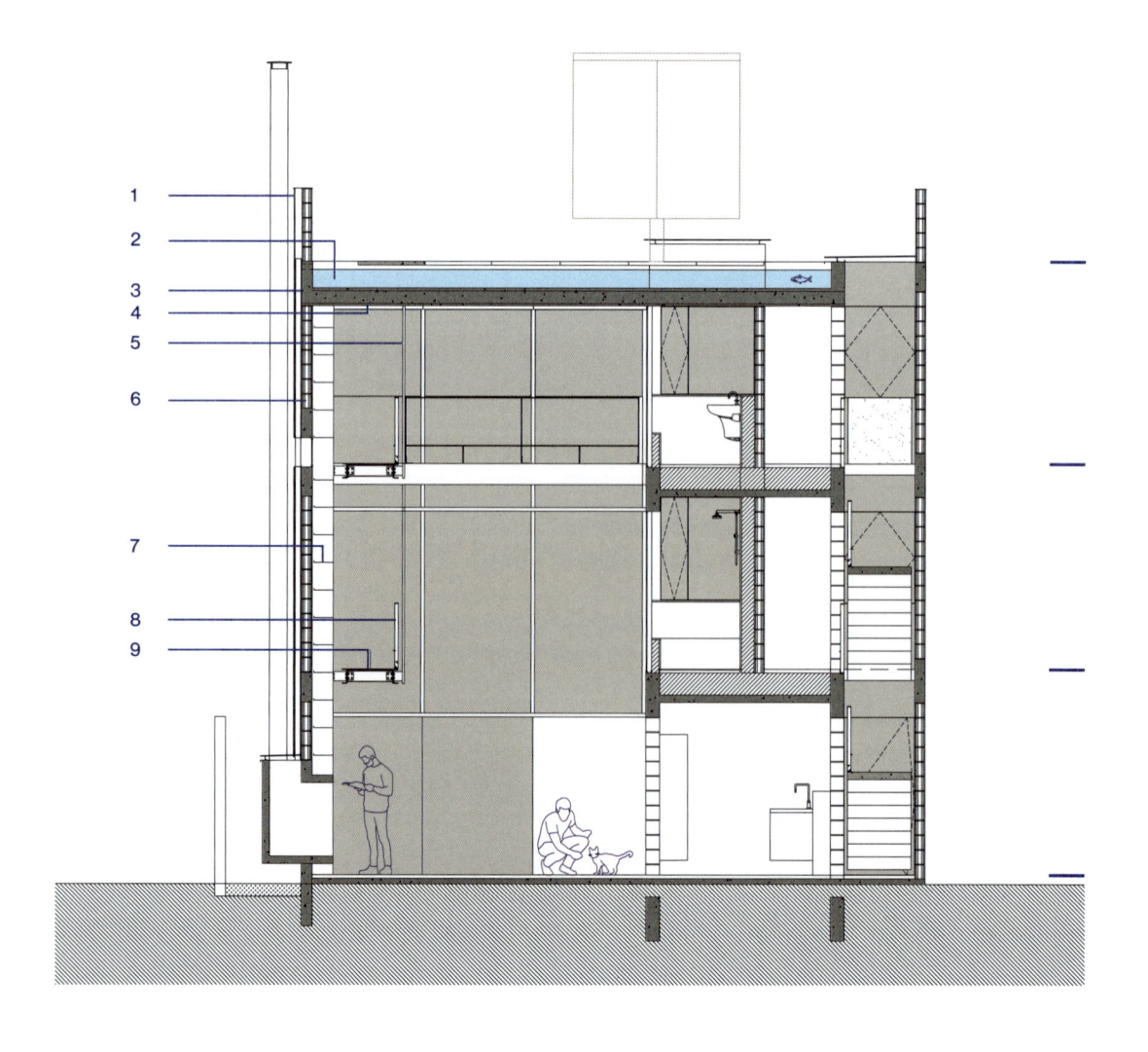

0   0,5   1,5m

1:100

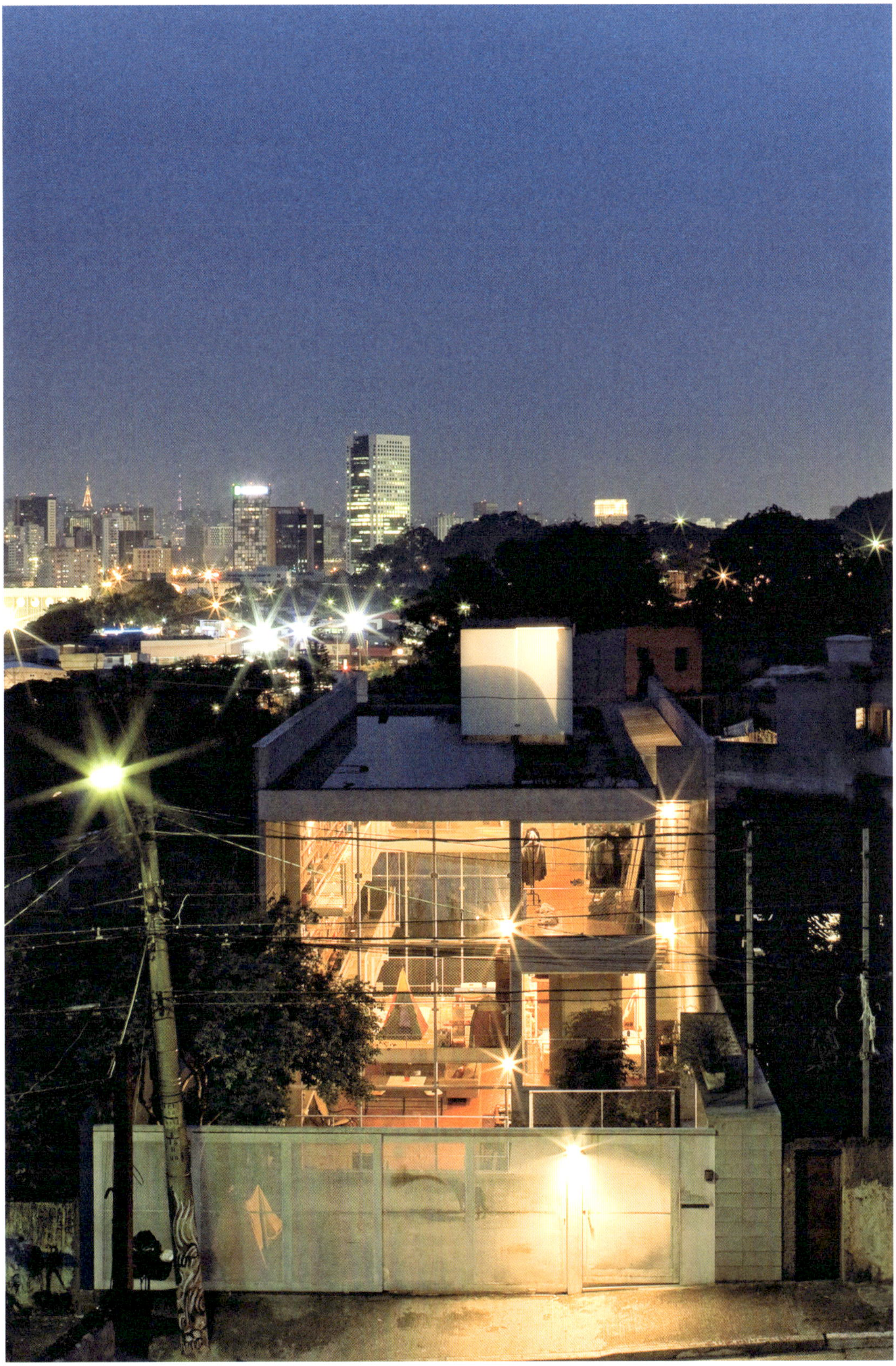

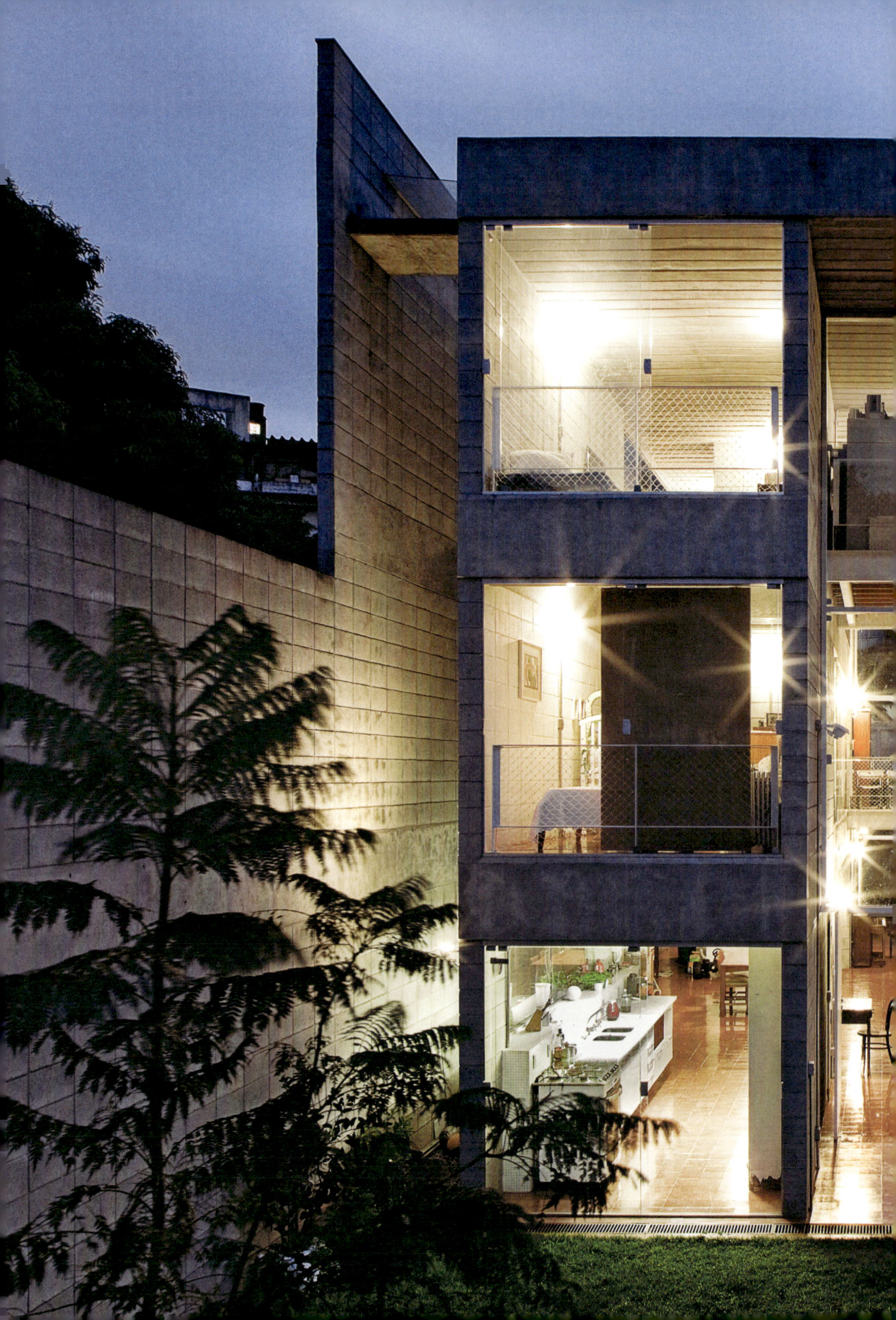

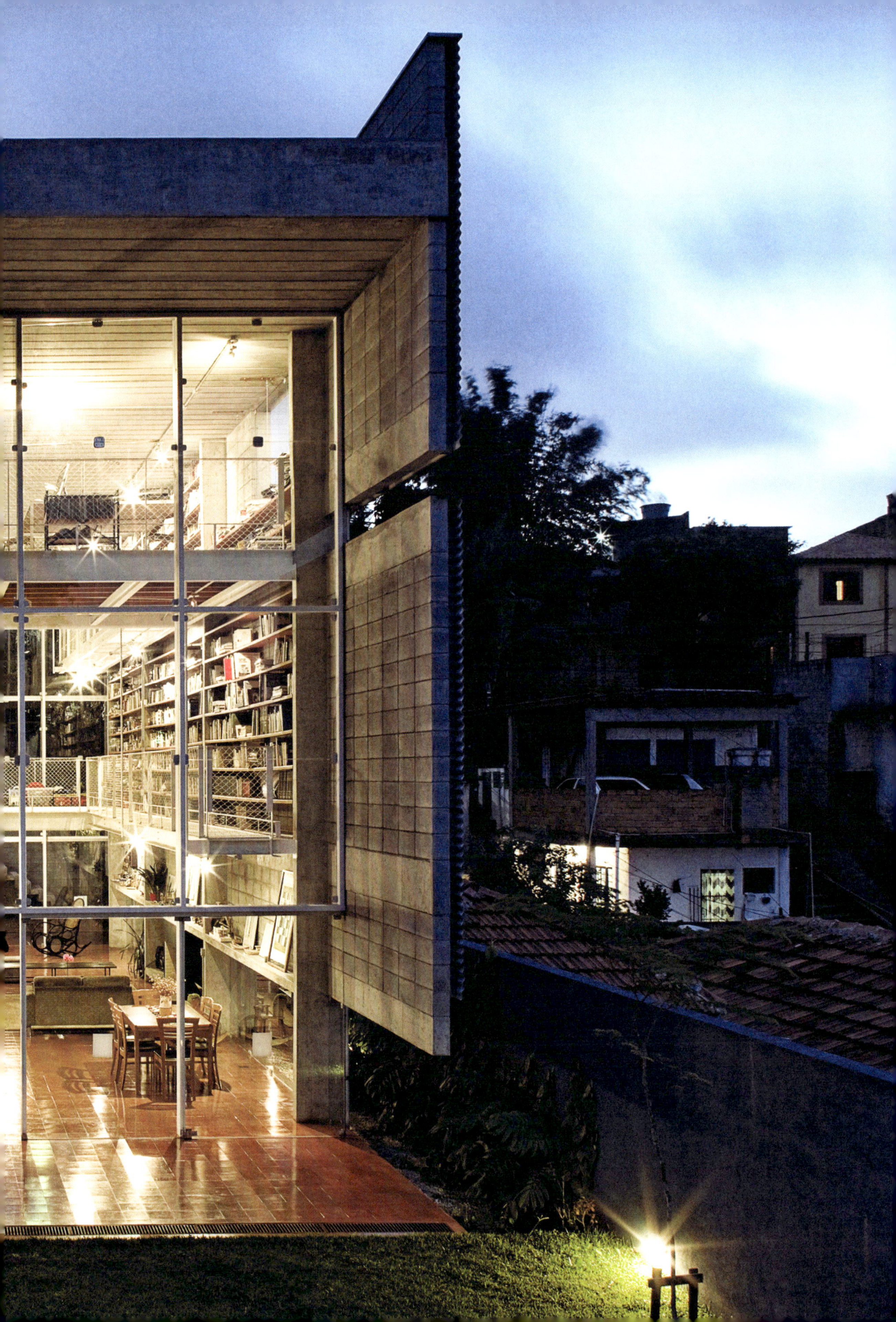

# CASA NO JARDIM PAULISTANO

SÃO PAULO, SP, 2012-2015

Localizada em um bairro residencial de São Paulo, sua configuração típica de lote urbano (10×37 metros) permitiu a concepção de um espaço aberto entre os muros de divisa do terreno a partir da construção de um bloco central fechado e de duas paredes laterais.

O bloco central, construído em concreto armado, concentra os programas de apoio e organiza a espacialidade da casa, conformando espaços laterais longitudinais contínuos. Assegura que o terreno seja inteiramente visualizado a partir do ingresso na casa e que, em sentido contrário, seja possível avistar o jardim de acesso e a rua a partir de seu jardim posterior.

Instalada em um desses eixos longitudinais, na passarela de conexão entre os dois extremos, uma biblioteca atravessa toda a verticalidade do corpo edificado. Biblioteca entre jardins! É uma imagem forte, onde a estante com os livros conforma os lugares de inevitável passagem e de prováveis encontros.

Uma casa que se volta para dentro, considerando o entorno e preexistências introspectivas, realçando os espaços da vida, sem, no entanto, fechá-los ou enclausurá-los.

Os belos jardins de Raul Pereira são o primeiro filtro de paisagem a transformar o inquieto exterior em uma singular e cálida paisagem interior. Com uma vegetação sempre presente, faz dos recuos de frente e fundos um jardim de acesso e um quintal sombreado. Ao longo de toda a fachada lateral — para onde se abrem a sala, a cozinha, o escritório —, a vegetação persiste através de um vigoroso jardim vertical. Amplos terraços, projetados para a frente e para os fundos do terreno, permitem aos moradores usufruir, abrigados pela arquitetura, da rica presença dos jardins.

O volume prismático ganha movimentação a partir de uma certa decomposição das partes. Aberturas zenitais trazem luz e "soltam" a passarela, o pé-direito duplo da sala de jantar assegura transparência e o reconhecimento dos dois volumes transversais — o quarto da parte posterior do terreno ganha contornos de um bloco autônomo. A escada, só piso, amplia a transparência entre os andares. Essa leve edição perpassa toda a casa, organizando os princípios gerais, desde o grande volume até os detalhes construtivos.

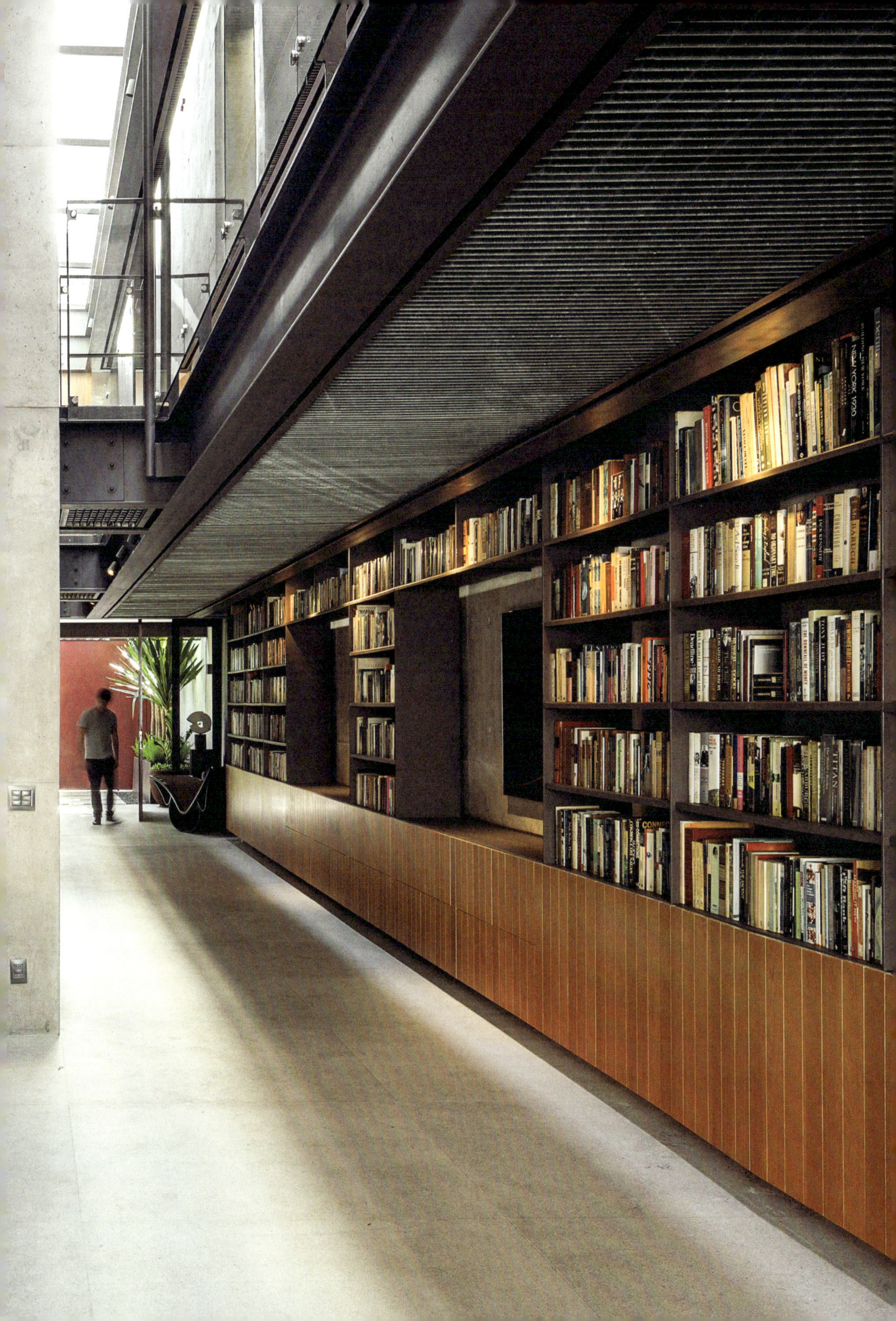

A. Planta nível 100,37
B. Planta nível 103,33
C. Planta nível 106,475
D. Corte longitudinal espaços servidos
E. Corte longitudinal núcleo servidor
F. Corte longitudinal rampa acesso

0 1   5m
1:400

A.

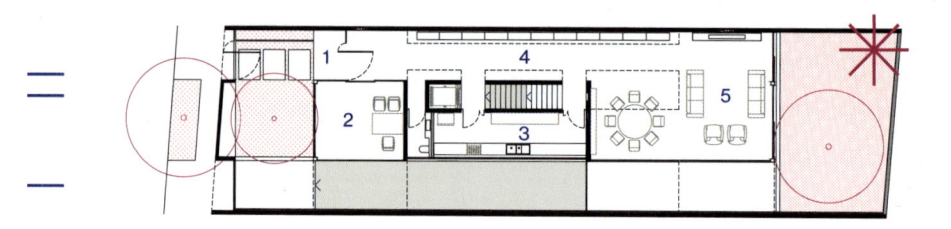

B.

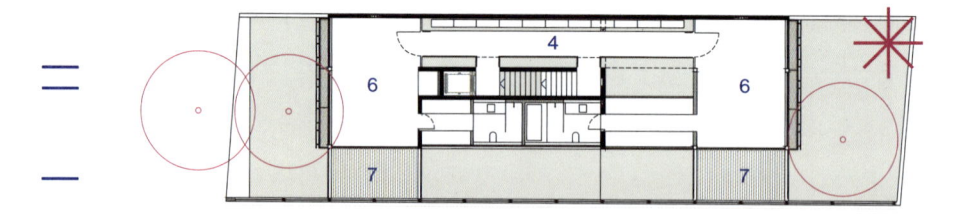

C.

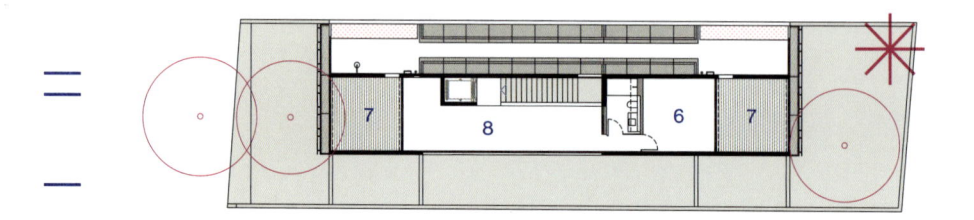

1. Acesso
2. Escritório
3. Cozinha
4. Galeria
5. Estar
6. Dormitório
7. Varanda
8. Ginástica

**D.**

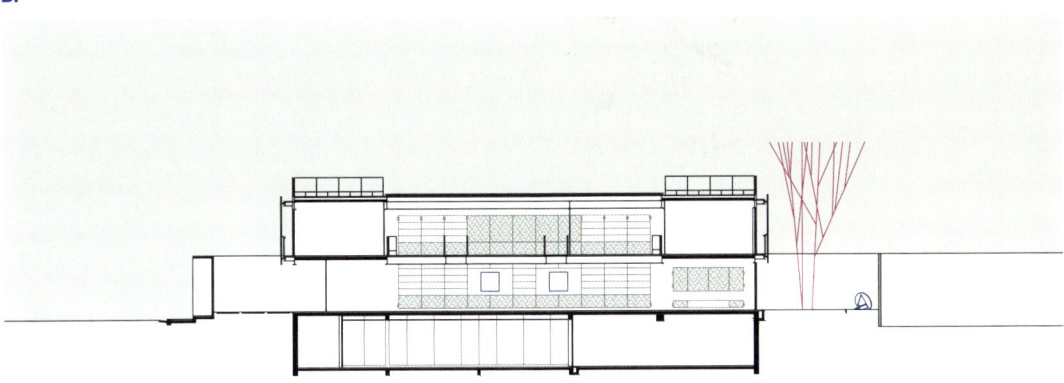

**E.**

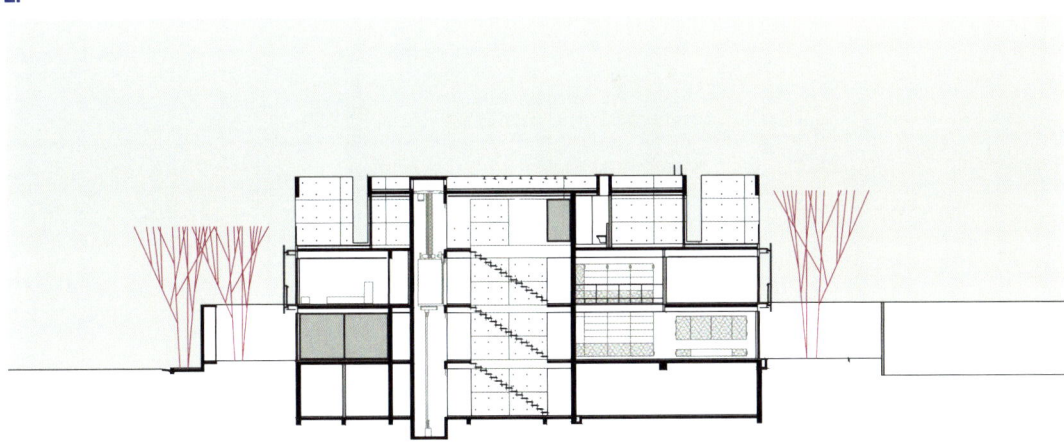

**F.**

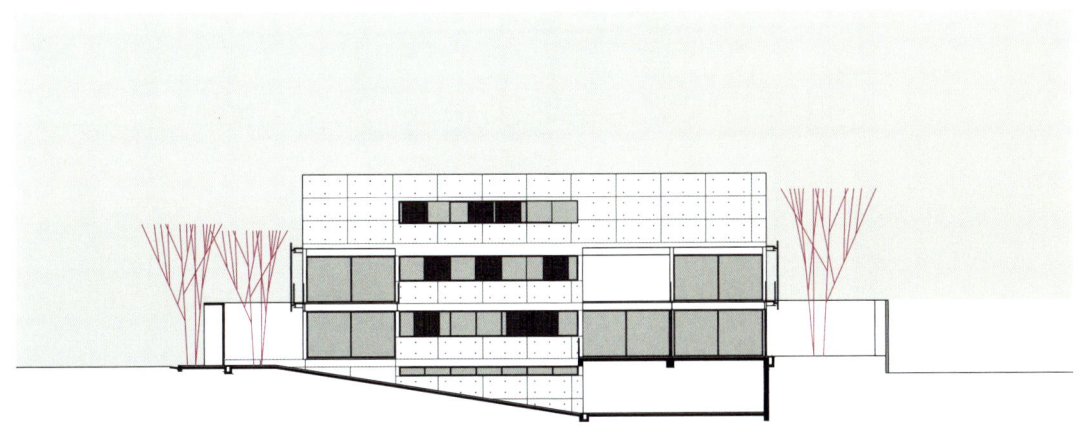

**G. Corte construtivo transversal**

1. Estrutura em concreto armado
2. Perfil "I"
3. Tirante metálico
4. Estante de aço
5. Prateleira metálica
6. Guarda-corpo metálico
7. Passarela metálica
8. Laje de concreto

0  0,5  1,5m
1:100

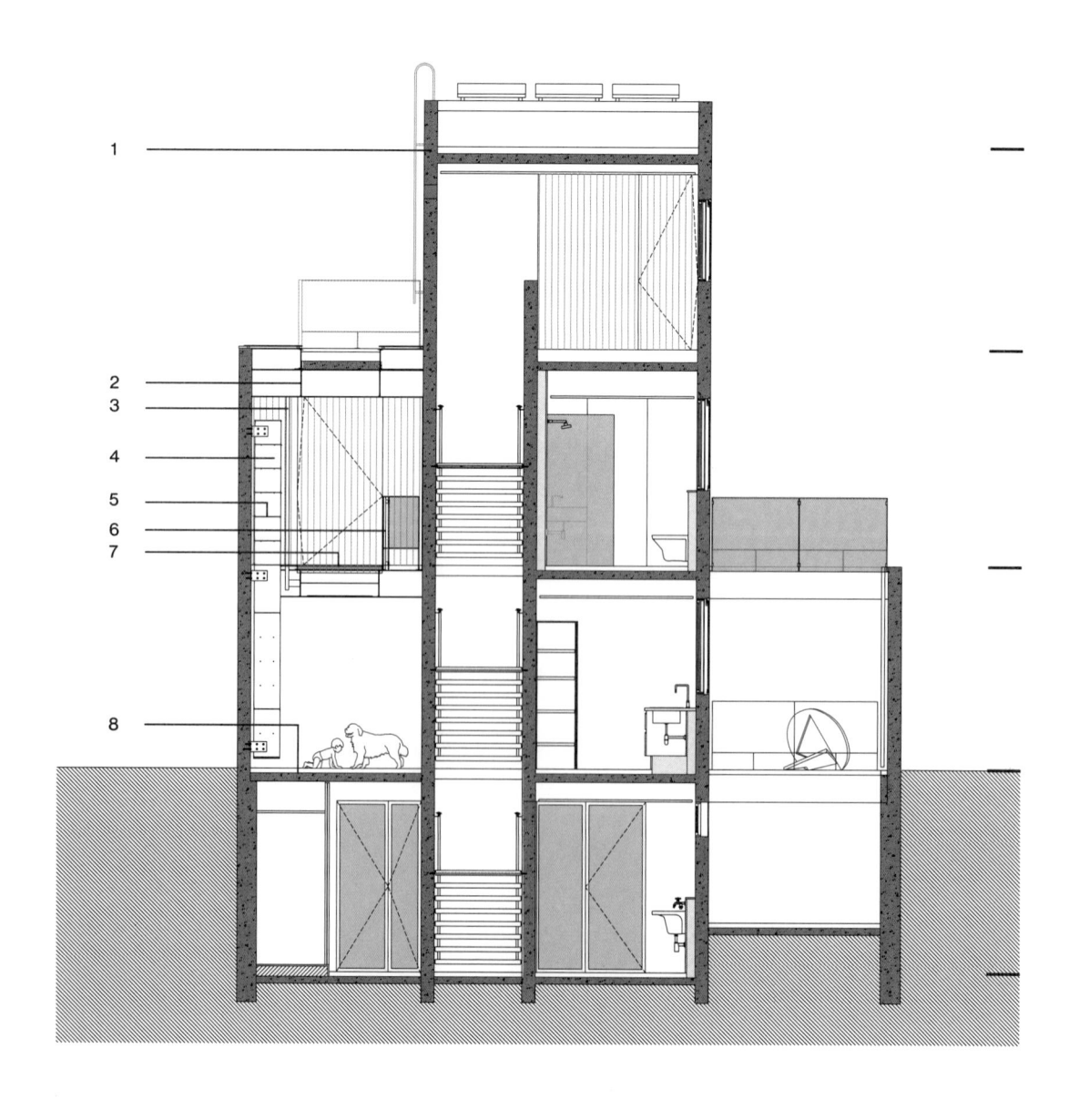

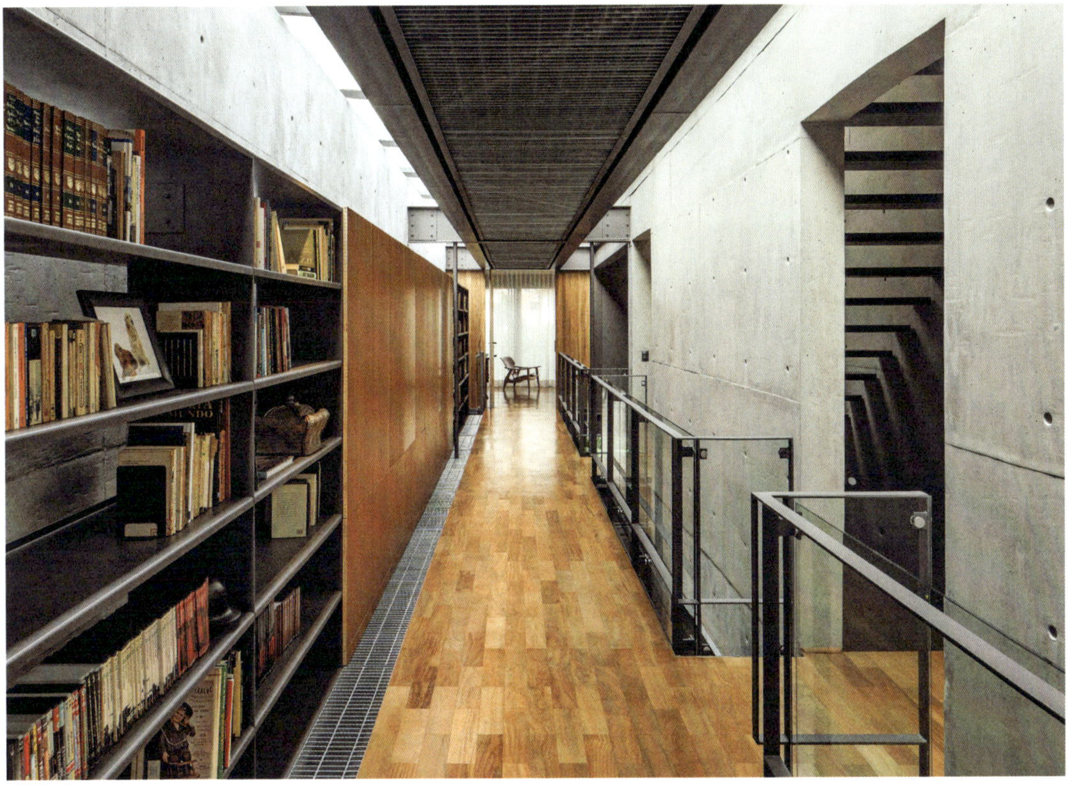

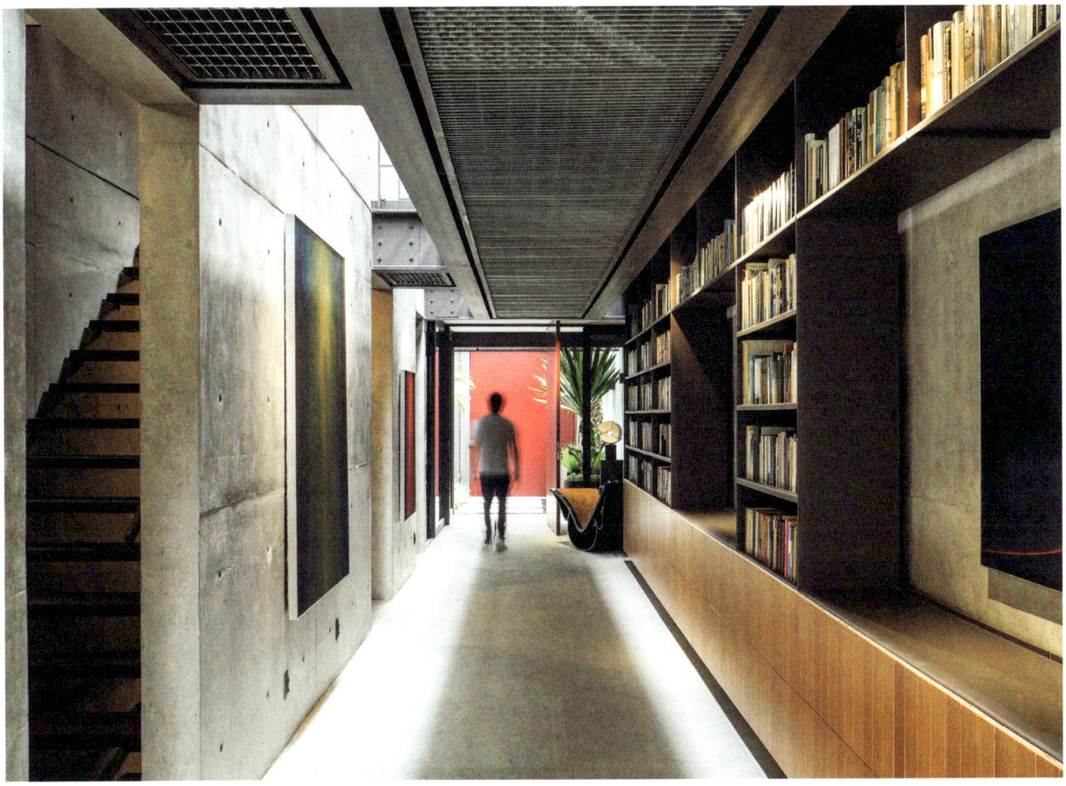

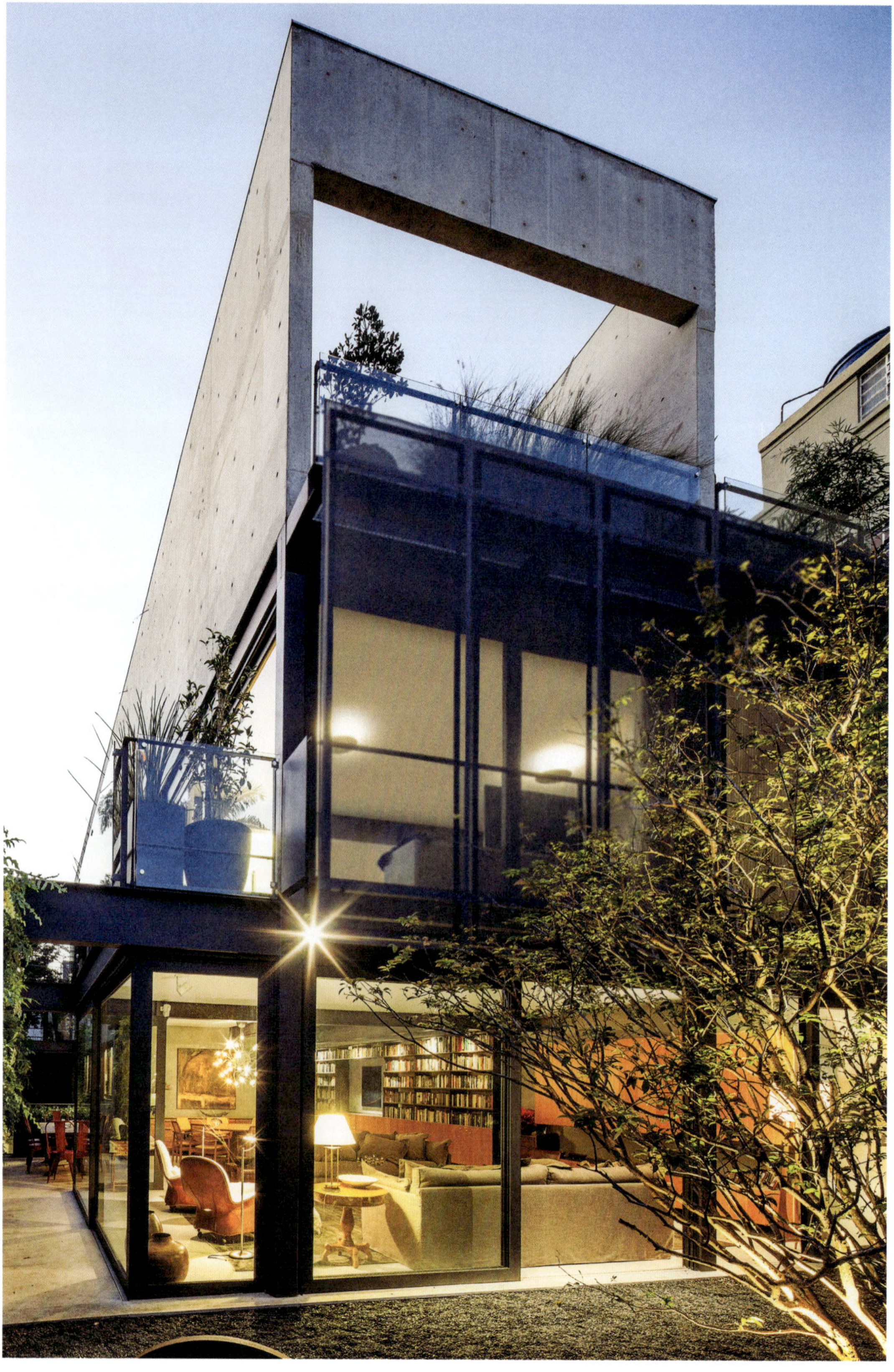

Frames do vídeo realizado por Pedro Kok como parte da documentação relativa à casa.

# CASA EM ITU

ITU, SP, 2014-2018

<u>A viga de concreto no fim é a fachada principal da casa. Ou uma quase "não casa". A casa é o vazio e o vazio é como a casa.</u>

Instalada em um condomínio fechado na cidade de Itu, a casa edita com leveza e elegância a vasta paisagem. Configurada em três blocos, delineia um pátio central que tem ares de praça — por sua dimensão, mas, sobretudo, pela natureza singular com que cada bloco se assemelha mais a um vizinho oportuno que ao corpo único de uma só casa.

O primeiro bloco abriga os serviços e a circulação vertical. Edita a casa em meios níveis: funciona como bloco limítrofe, distinguindo interior de exterior e dotando a casa de uma delicada domesticidade.

O quarto de hóspedes, em um dos lados desse bloco, separa-se dos quartos da família por uma passarela envidraçada, envolvida por ipês. No outro extremo está a cozinha, associada à sala de jantar e à de estar, no primeiro pavimento. A cozinha, com vocação diurna, se abre para a área avarandada, voltada para a piscina no pátio central.

O piso contínuo de pedra portuguesa branco e caramelo, com desenho de Andrés Sandoval, atravessa todo o térreo, desde a piscina e a área de pátio até o interior dos cômodos. Um instigante e variado jardim, projeto de Tomás Rebollo, articula as paisagens interior e exterior.

O detalhamento criterioso transforma a construção de aparência singela em um elegante artefato arquitetônico. O desenho cuidadoso é visível já na estrutura — desde o pilar em concreto aparentemente esbelto, devido a uma ilusão obtida com sua rotação e em sua relação com os eixos principais da casa; passando pela alternância entre pilares e tirantes para apoio da sala de estar; e chegando à suspensão das rampas por cabo articulado por um leve aparelho de apoio metálico.

O rigor do desenho continua na escada, no intervalo entre o quarto dos pais e os dos filhos, e no acesso ágil dos quartos para os espaços de pátio/piscina ou sauna/sala de jogos. Os primeiros degraus, como massa em concreto a receber o desnível do jardim; os demais, em chapa metálica.

Leves painéis de chapa perfurada fazem as vezes de filtro de luz e intimidade abrigada.

Esse projeto anuncia uma variante, e aponta outros rumos, para o valioso vazio que o escritório vem laboriosamente conformando. A casa, quase diáfana, tem a monumentalidade típica das obras de rara poética.

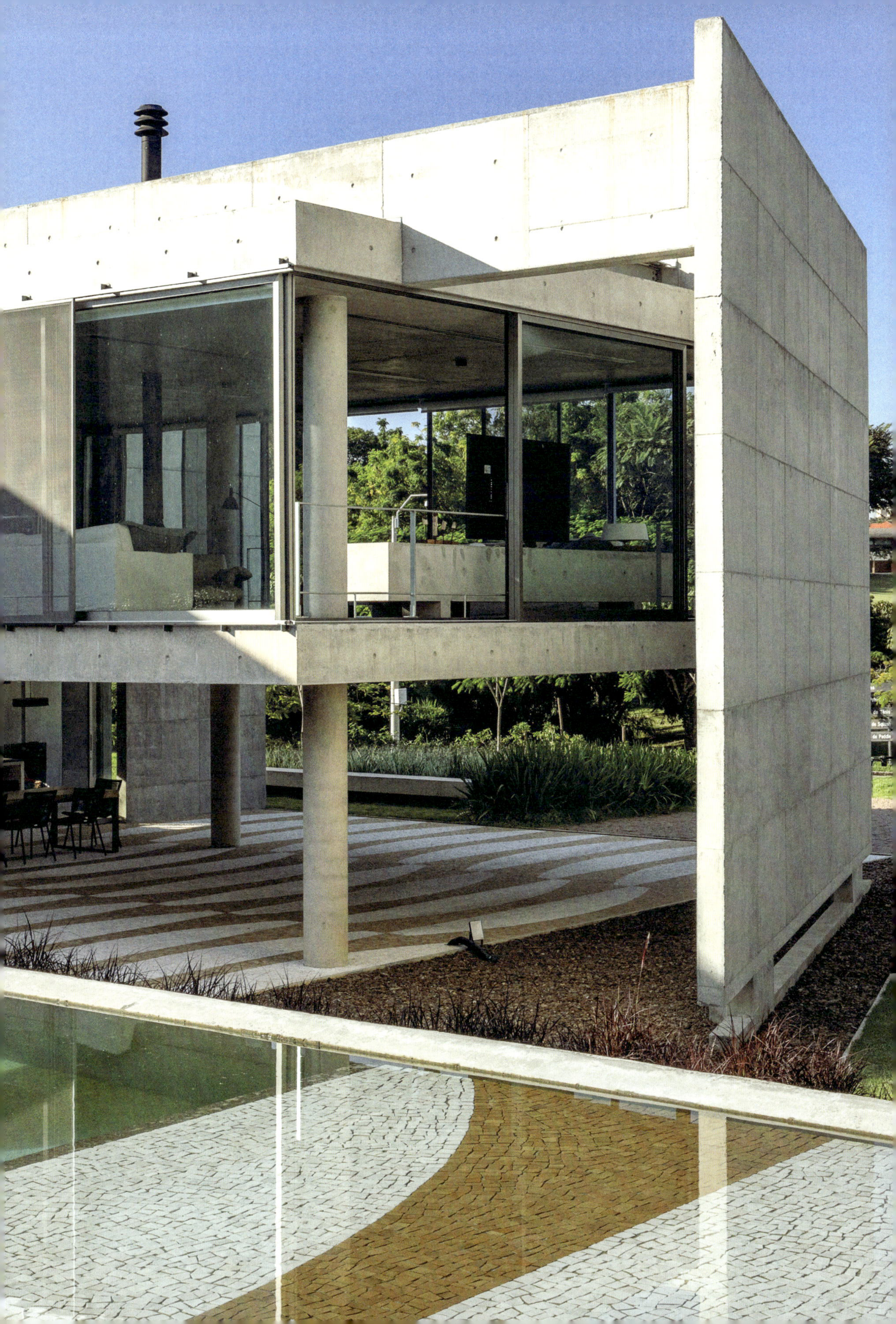

A. Planta níveis 97,60/ 99,00
B. Corte longitudinal dormitórios e estar
C. Planta níveis 99,85/101,50
D. Corte longitudinal dispositivo de circulação

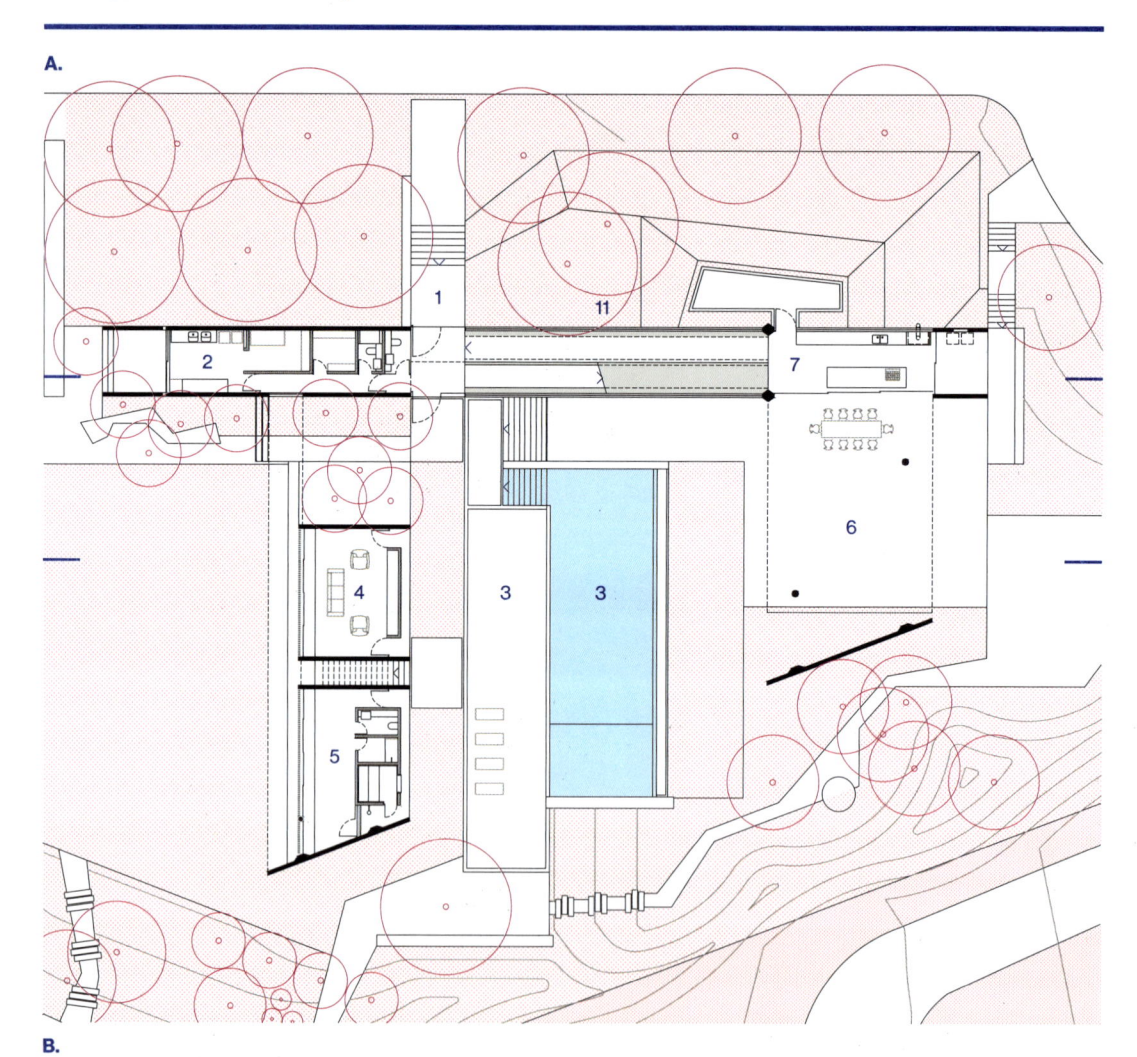

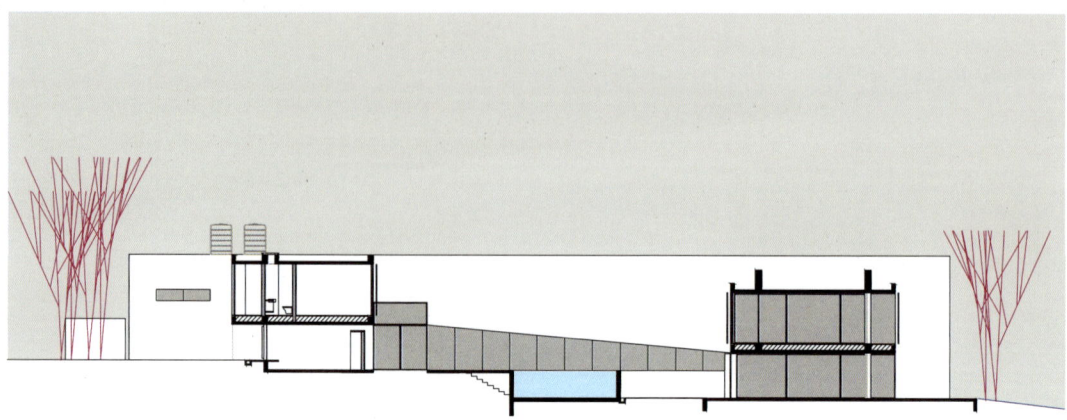

0 1   5m
1:400

A.

B.

1. Acesso
2. Serviços
3. Praça de água e sol
4. Jogos
5. Vestiários/sauna
6. Varanda coberta
7. Cozinha
8. Estar
9. Escritório
10. Dormitório
11. Dispositivo de circulação

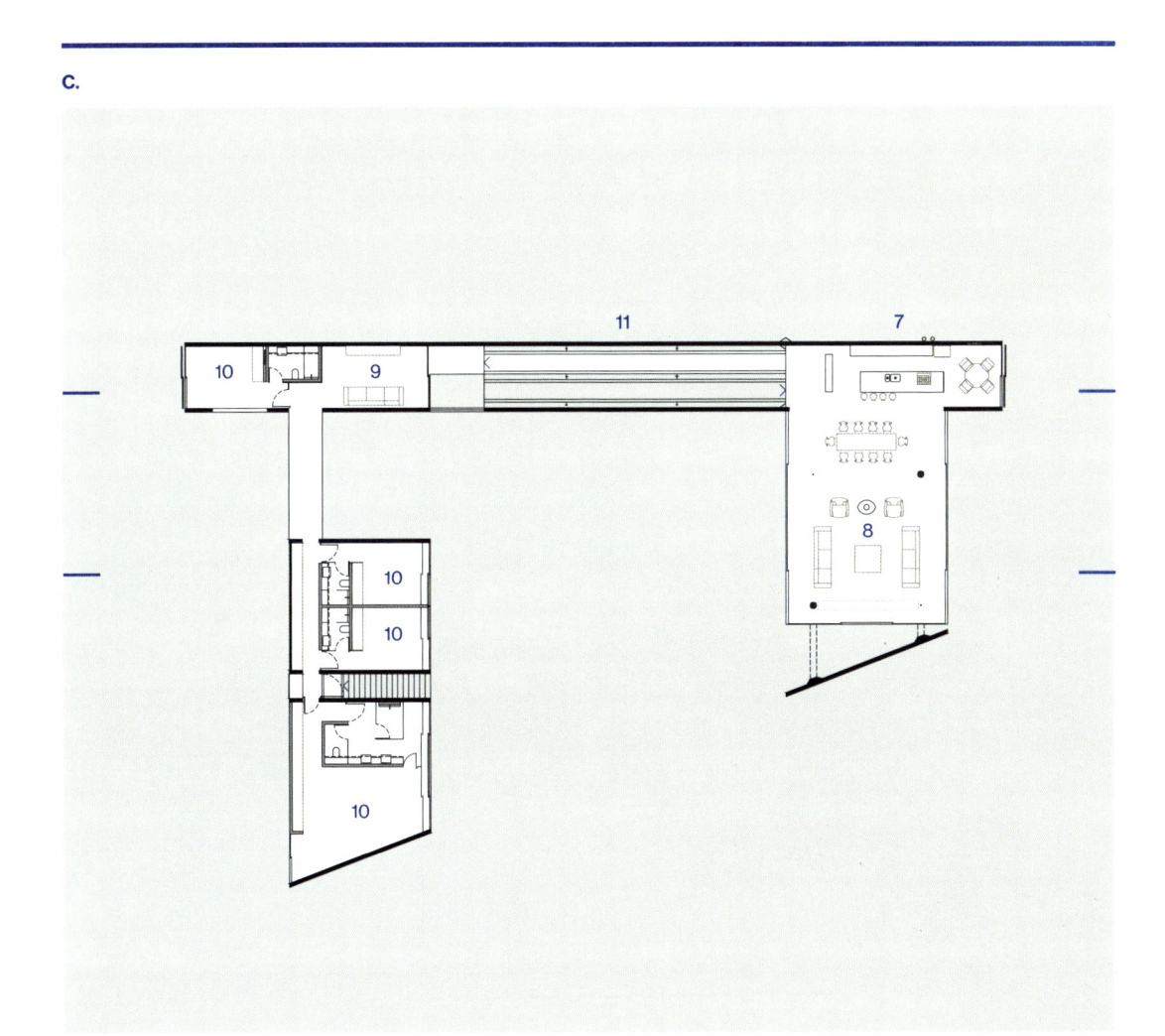

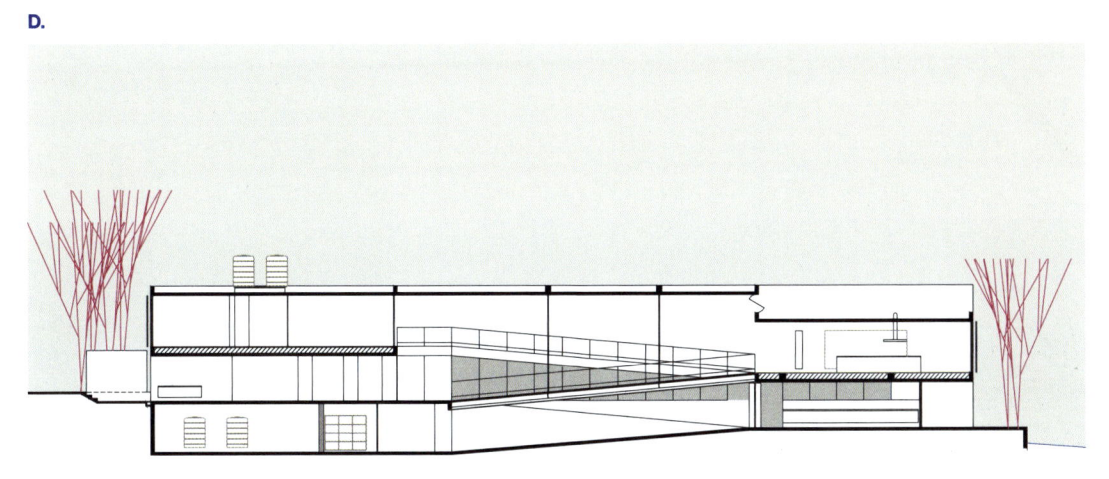

C.

D.

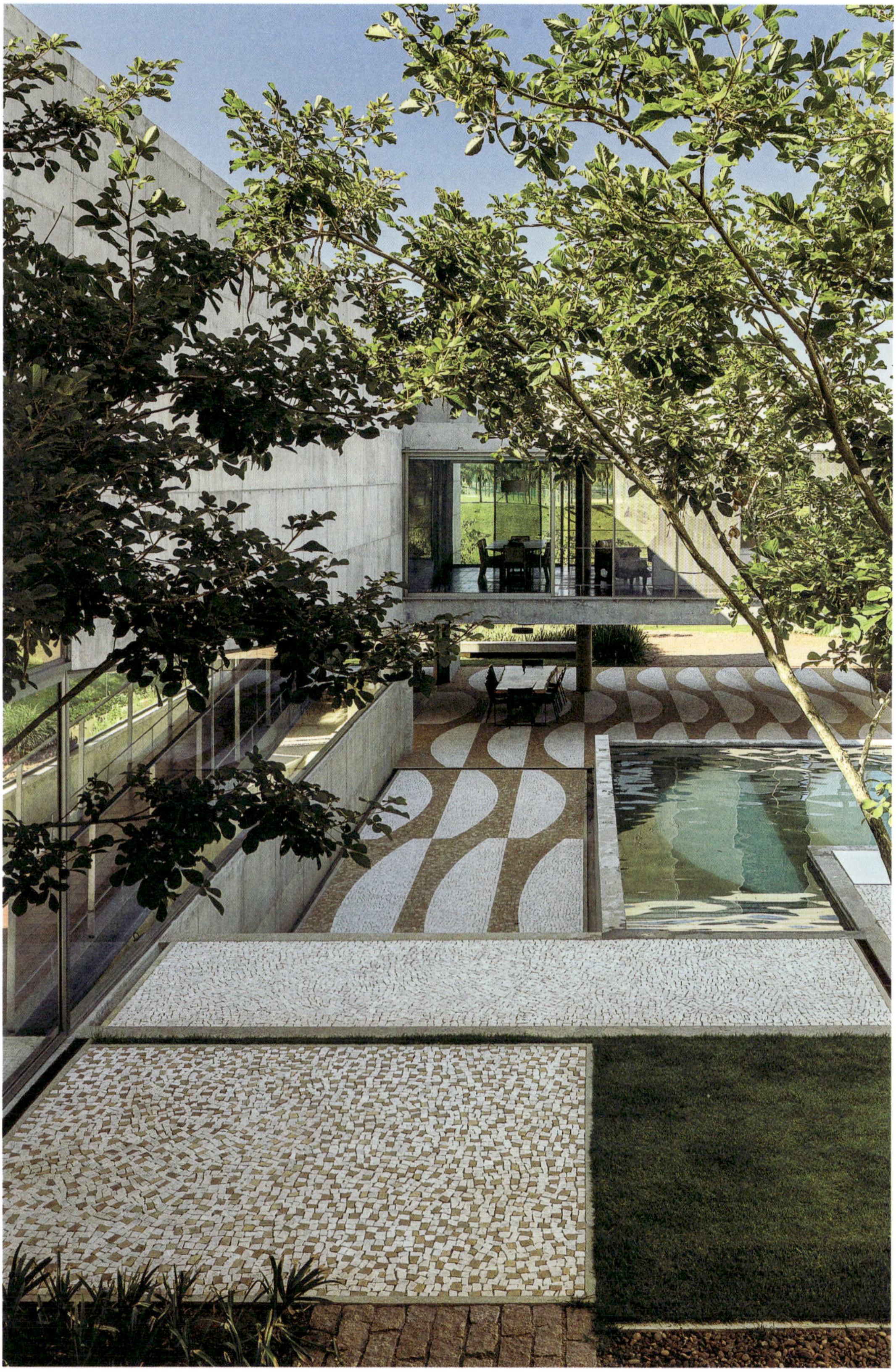

**E. Corte construtivo transversal**

1. Laje de concreto
2. Viga de concreto
3. Tirante metálico
4. Guarda-corpo metálico
5. Rampa em estrutura metálica
6. Perfil "I"
7. Caixilho de alumínio
8. Rampa em concreto

0  0,5  1,5m
1:100

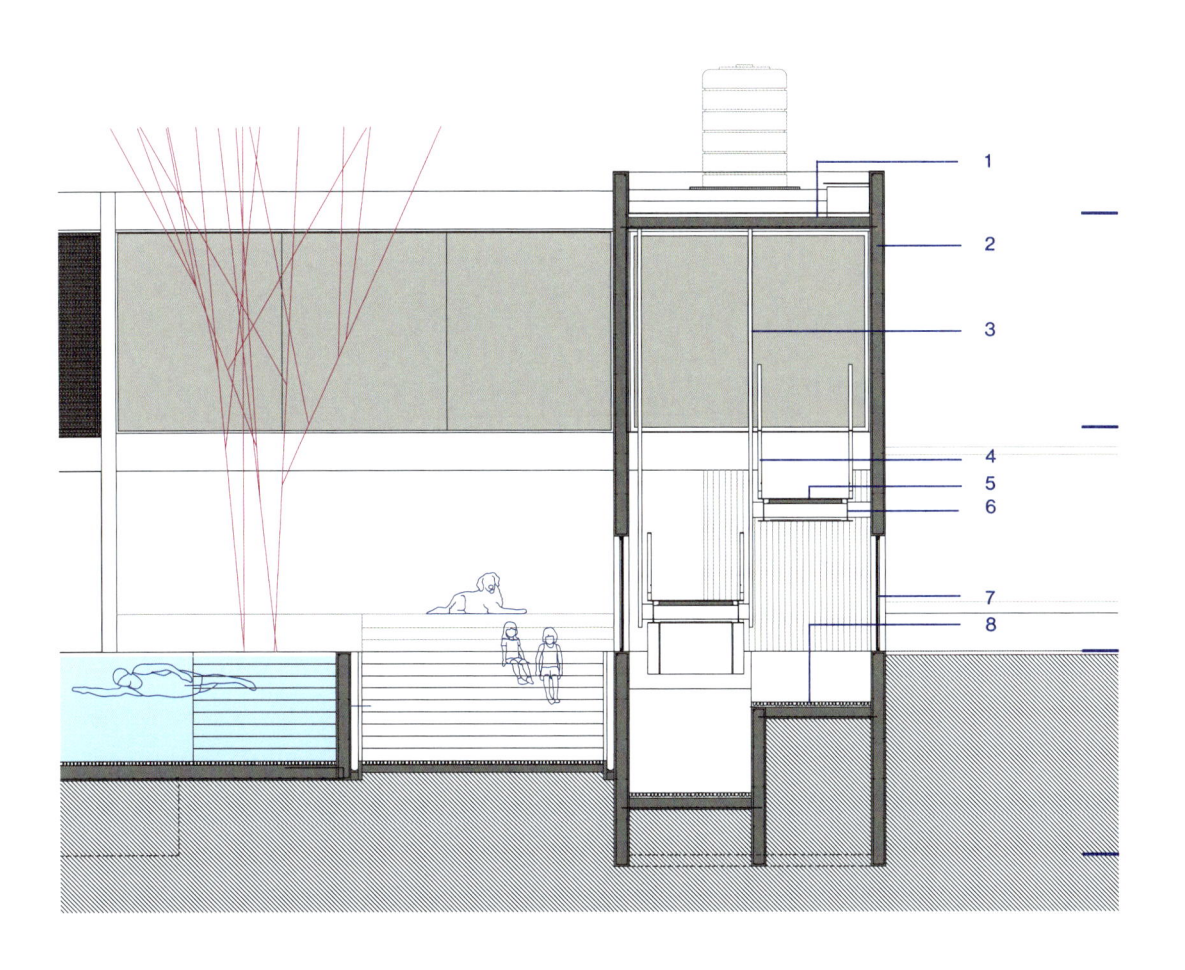

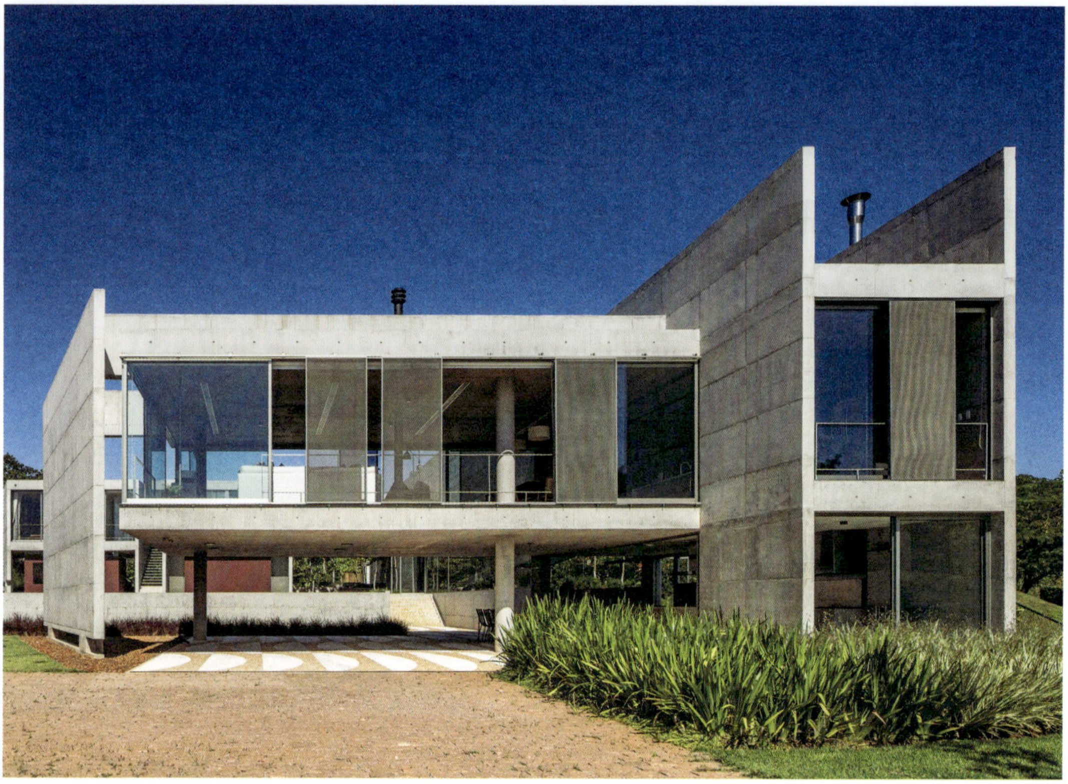

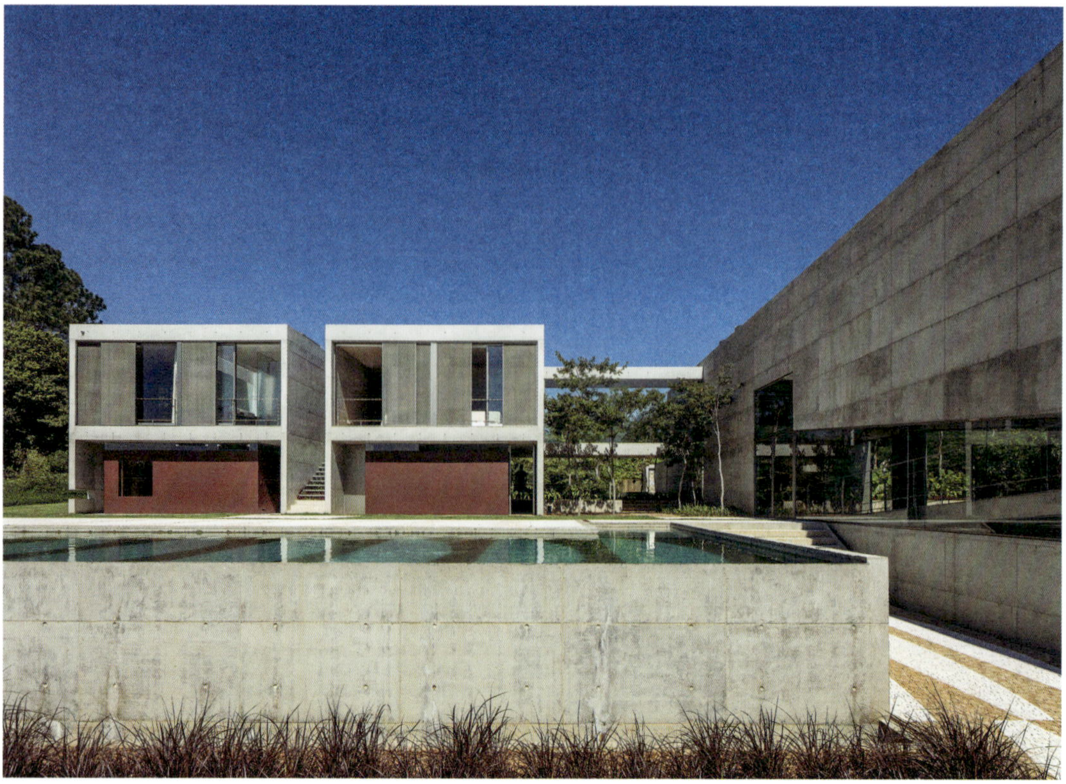

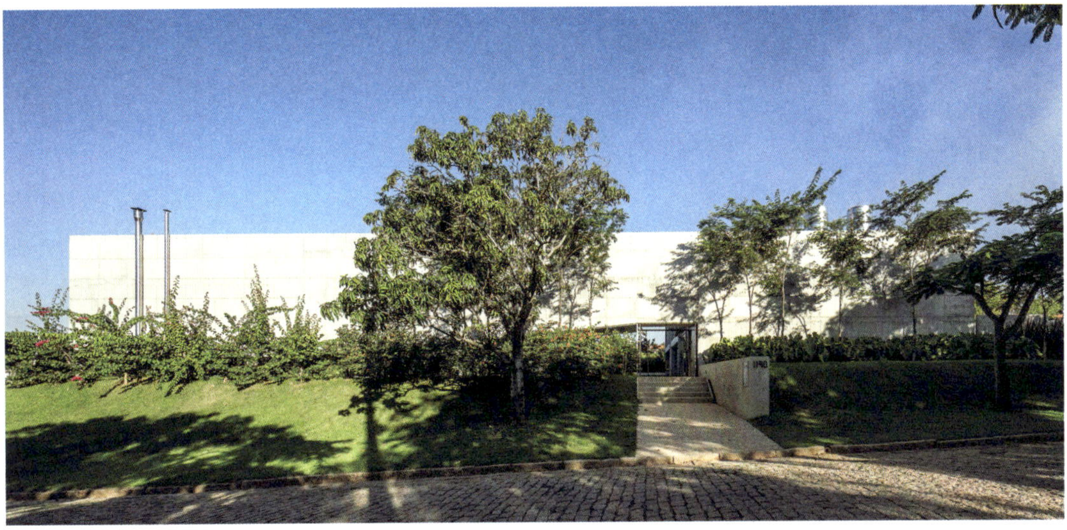

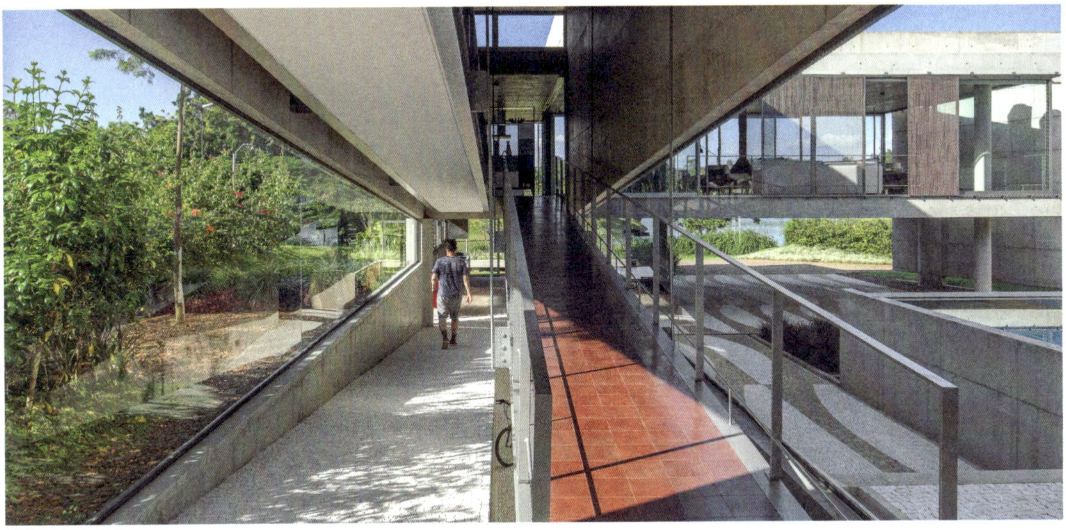

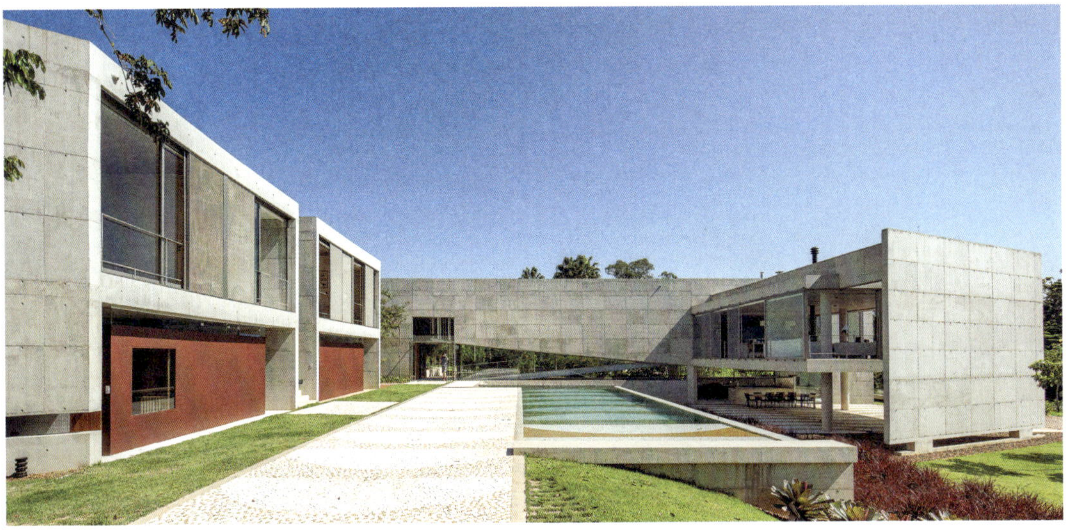

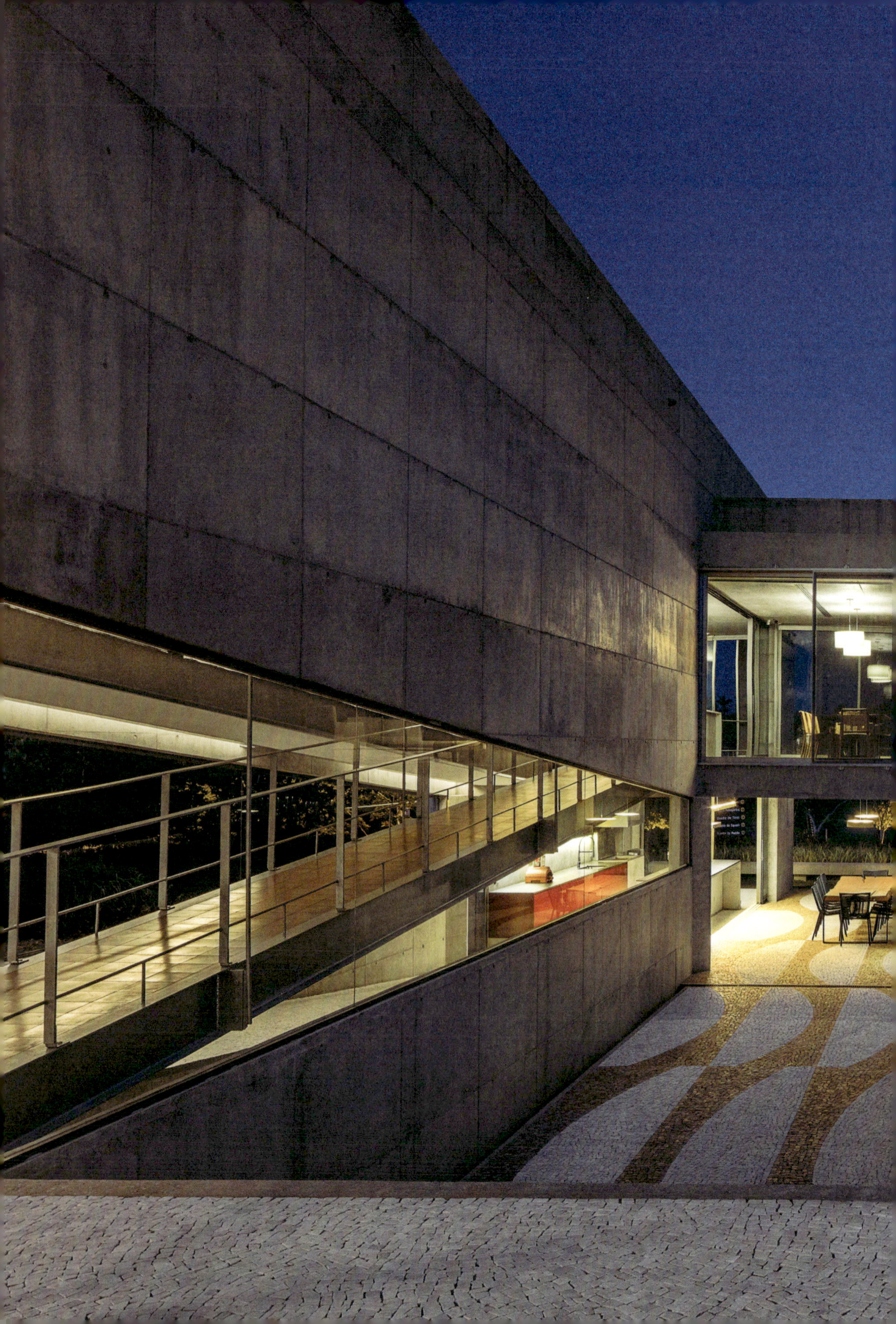

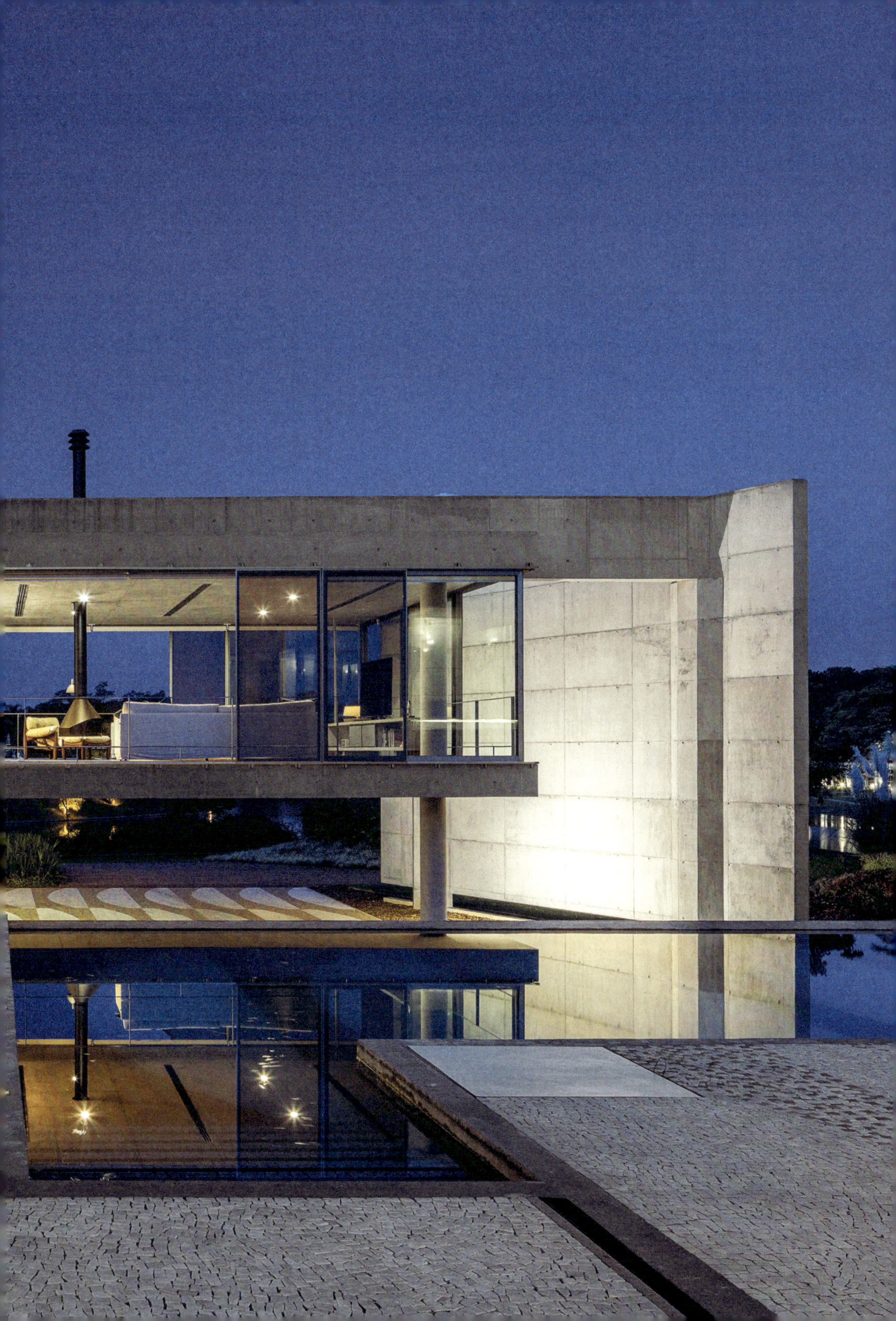

# SEDE DO SEBRAE NACIONAL

BRASÍLIA, DF, 2008-2010
COM LUCIANO MARGOTTO

---

O conjunto edificado, com o térreo aberto, permite visuais alongadas sublinhando a possibilidade de extensão do chão público sem comprometer o gabarito que resguarda o céu de Brasília e que estará presente no grande espaço central conformado.

A proposta do gruposp, em parceria com Luciano Margotto, para o concurso público nacional ocorrido em 2008 para a sede do Sebrae em Brasília configura um vazio central e organiza o conteúdo programático ao seu redor. O pátio descoberto, aberto para o céu, é ladeado por dois sombreados jardins aquáticos e organiza os percursos de acesso, de modo a manter livre o chão da cidade.

A partir da calçada, uma larga passarela com dimensão de rua atravessa toda a extensão longitudinal do terreno, acompanhando o vazio — protagonista a revelar os dois níveis, transformados em chão duplicado.

Ao fim dessa laje, a vista panorâmica, emoldurada pela arquitetura, revela o lago Paranoá e o horizonte. O piso de baixo, acessível também por uma generosa escada, mantém a ideia de continuidade da paisagem com segundo térreo, rebaixado.

O chão do edifício, público, é construído, portanto, distinto do terreno natural que o circunda, destinado às áreas verdes permeáveis.

Duas formas alongadas, que cobrem toda a extensão edificada, emolduram o conjunto e abrigam em seu interior os serviços básicos de circulação, sanitários e apoio. Esbeltas, completam o caráter imagético do edifício: linhas paralelas, uma delas retilínea, outra atenuada em uma curva suave.

O programa, marcado fortemente por estes dois elementos — as linhas e o pátio —, permite que eles pareçam harmoniosamente instalados. Os diferentes recintos ajudam a demarcar o desenho do pátio.

A arrojada estrutura viabiliza uma flexibilidade efetiva, fazendo com que as áreas para escritórios sejam "realmente livres" em sua significativa proporção (18x60 metros).

O projeto prevê facilidades para alterações constantes de arranjos, tanto para os espaços quanto para os componentes de instalações prediais e de infraestrutura — piso elevado, forro e ausência de pilares no meio dos pavimentos.

Os brises móveis em planos metálicos filtram tanto a luz quanto a paisagem. O novo edifício soube a um só tempo renovar e ecoar a intrigante cidade.

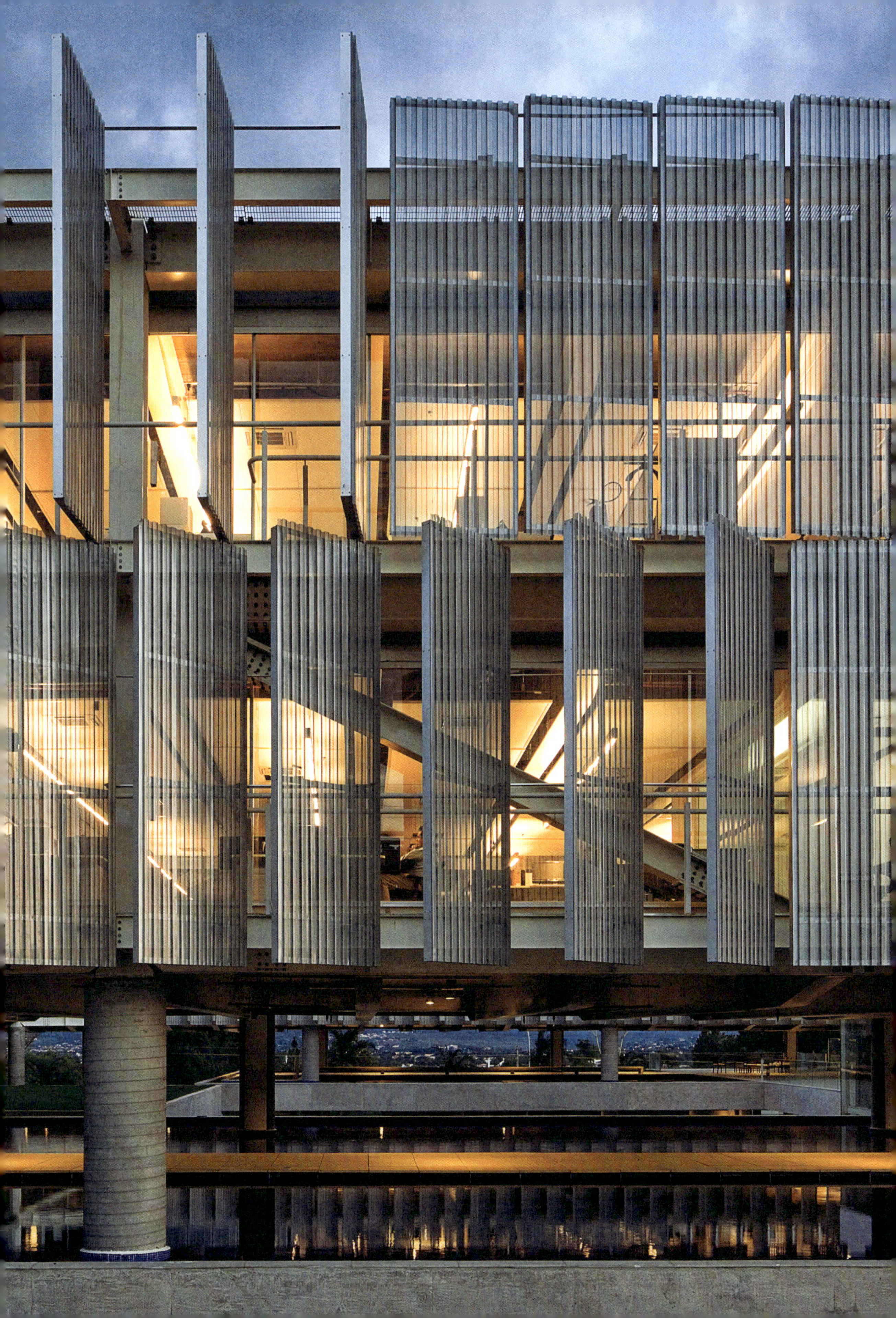

A. Planta nível 1062,7 térreo inferior
B. Planta nível 1066,5 térreo superior

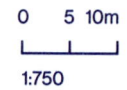

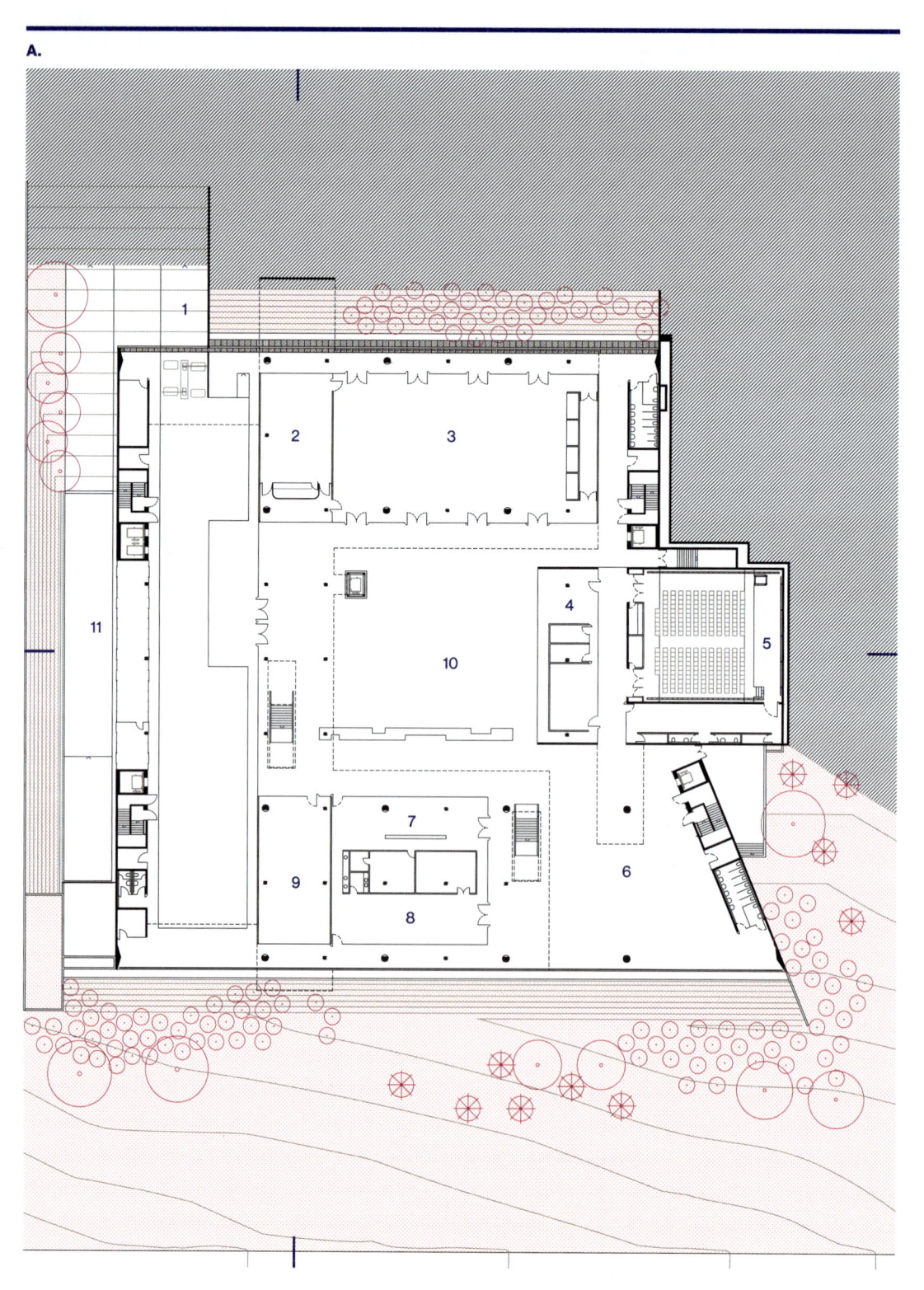

0  5  10m
1:750

A.

1. Acesso carro
2. Conselho Deliberativo Nacional
3. Salas de uso múltiplo
4. TV Sebrae
5. Auditório
6. *Foyer*
7. Café
8. Restaurante
9. Biblioteca
10. Pátio
11. Serviço
12. Acesso público
13. Recepção
14. Mirante
15. Praça d'água

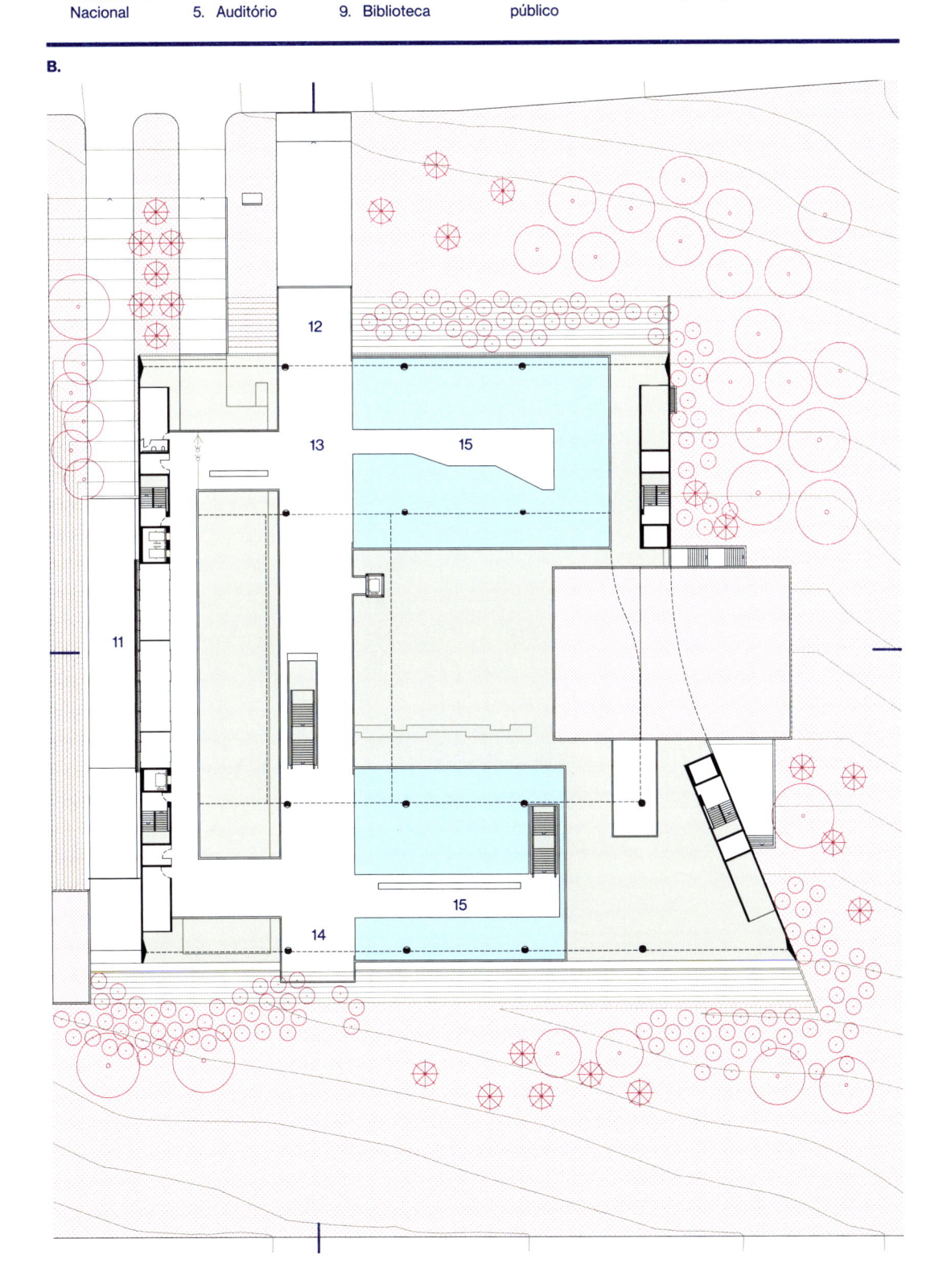

B.

C. **Planta níveis 1070,05/ 1073,55 pav. tipo**
16. Castelo de serviços
17. Varanda de circulação
18. Escritórios

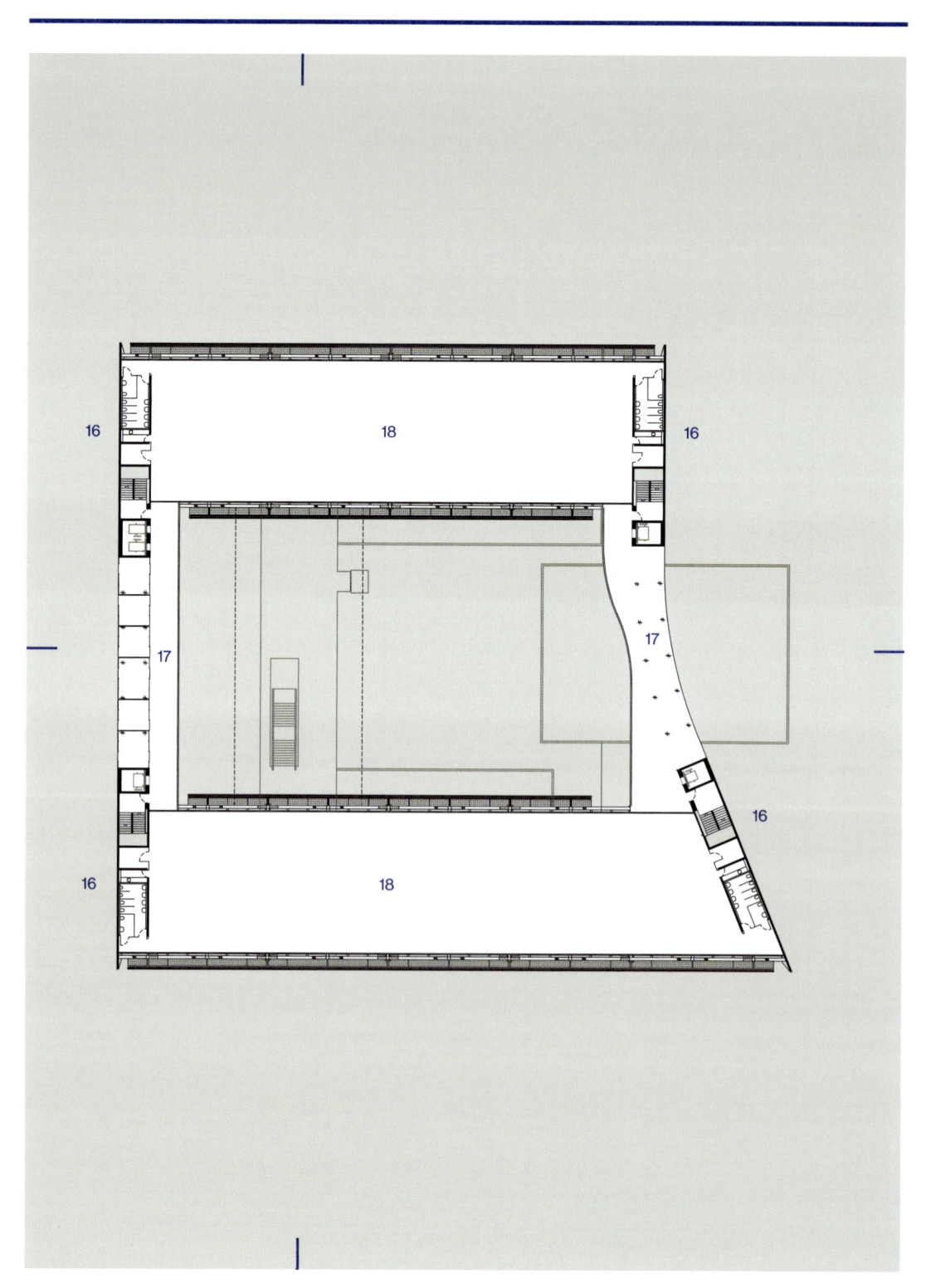

0  5  10m
1:750

Frames do vídeo realizado por Pedro Kok como parte da exposição "Continuidade e transformação: o chão público de Brasília", proposta selecionada na chamada aberta da X Bienal de Arquitetura de São Paulo.

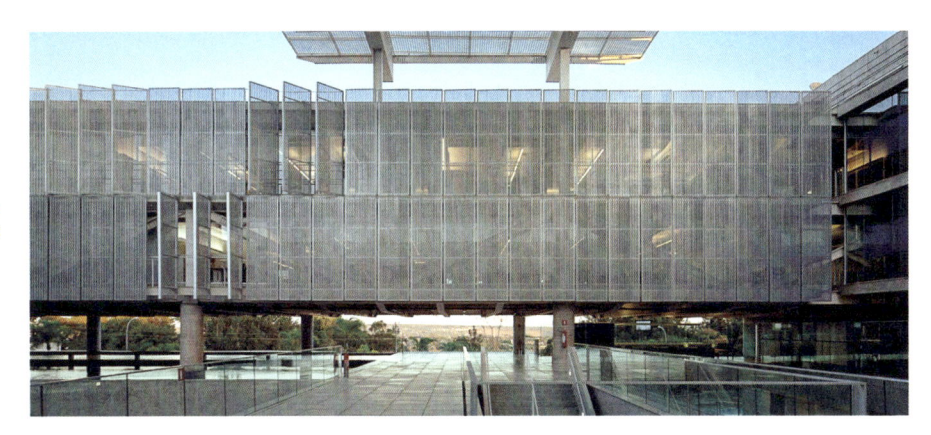

D. **Corte transversal**
E. **Corte longitudinal**

0  5  10m

1:750

D.

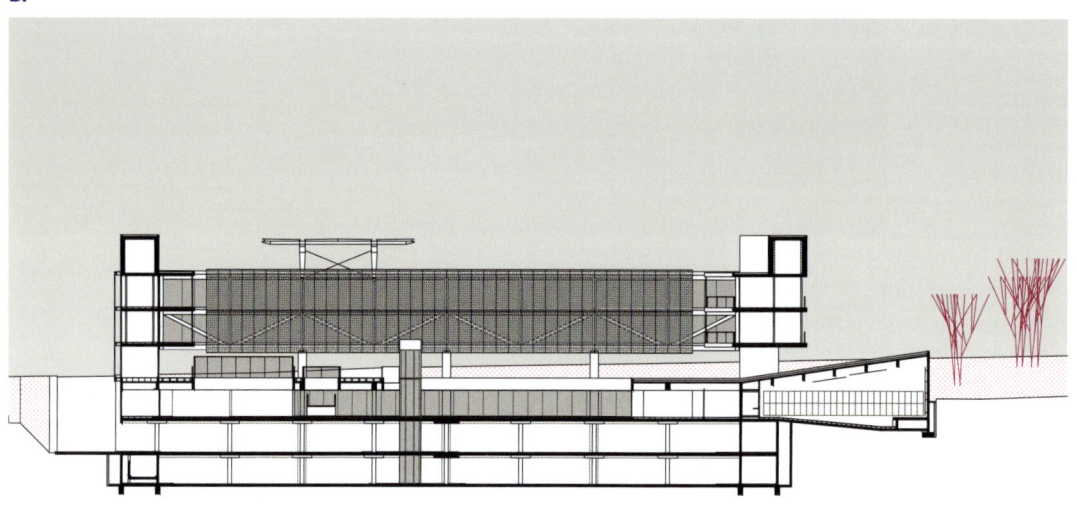

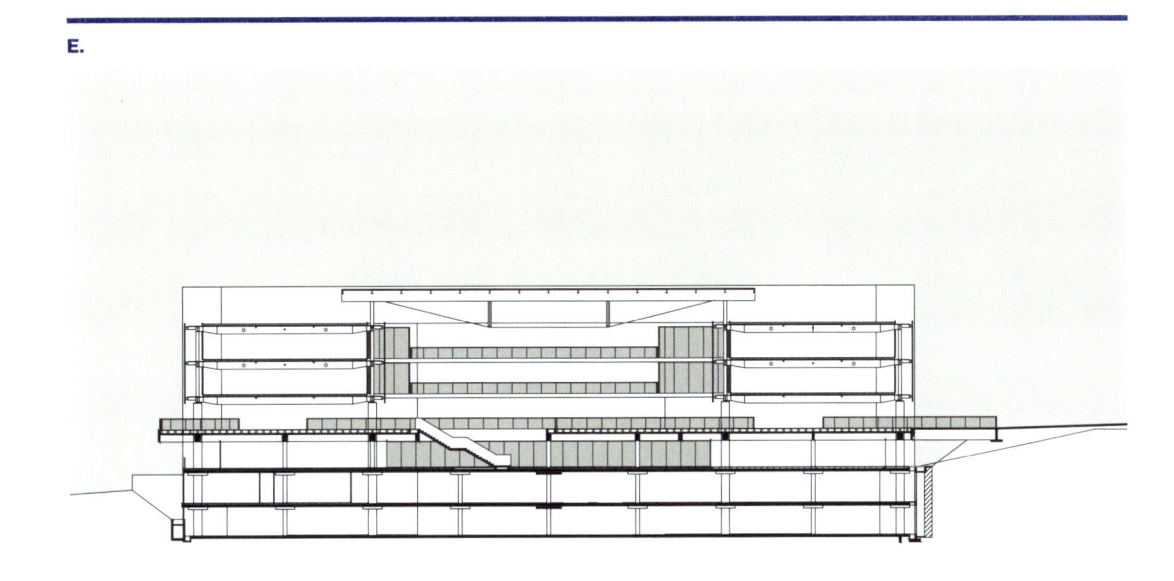

E.

F. **Corte construtivo**

1. Castelo de serviços
2. Laje de concreto
3. Forro acústico
4. Piso elevado
5. Quebra-sol em chapa perfurada
6. Vidro temperado incolor fixo
7. Pórtico metálico
8. Passadiço metálico
9. Pilar de concreto
10. Guarda-corpo
11. Piso elevado de concreto
12. Capitel em concreto

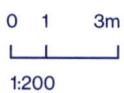

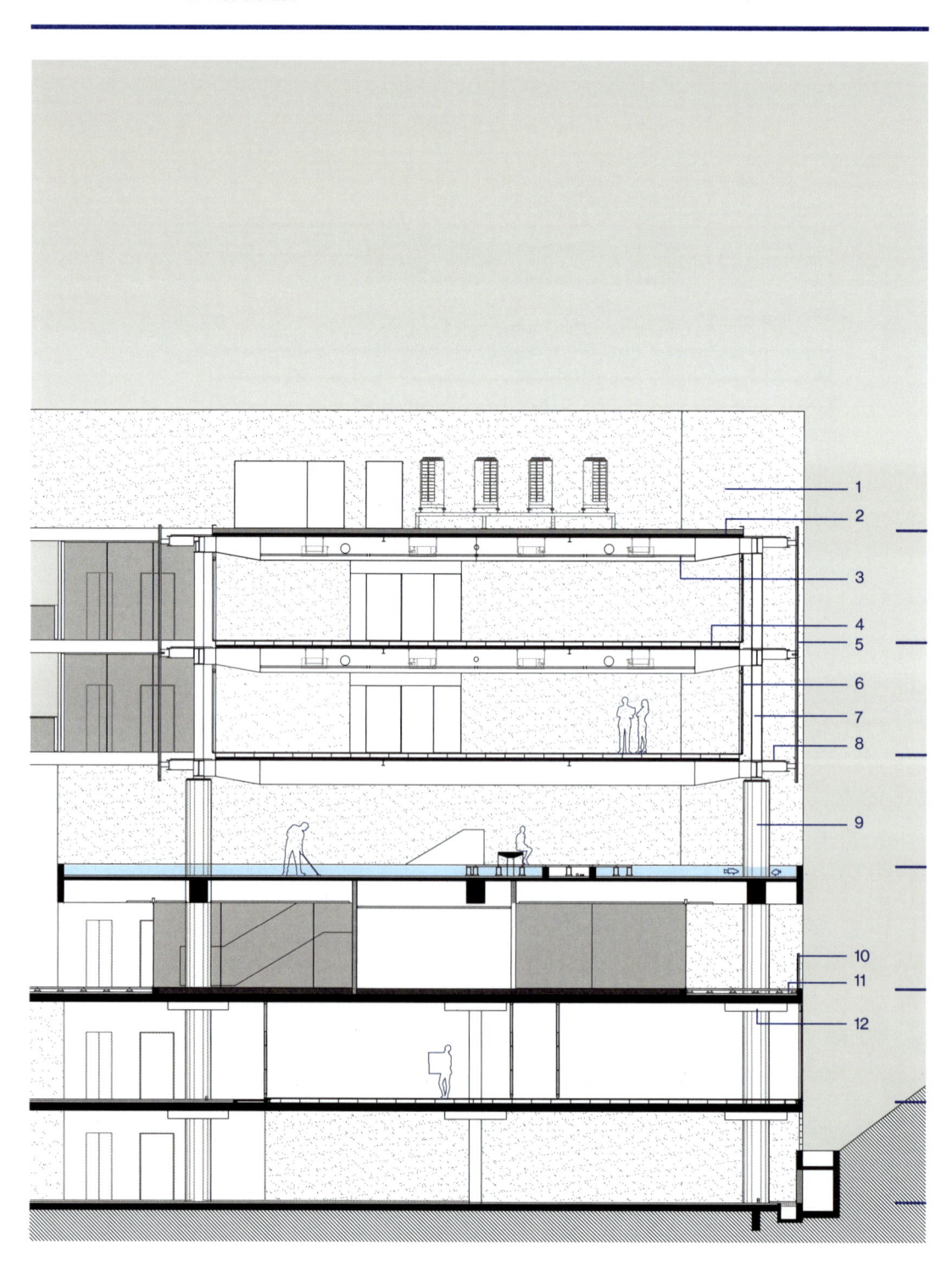

0  1  3m
1:200

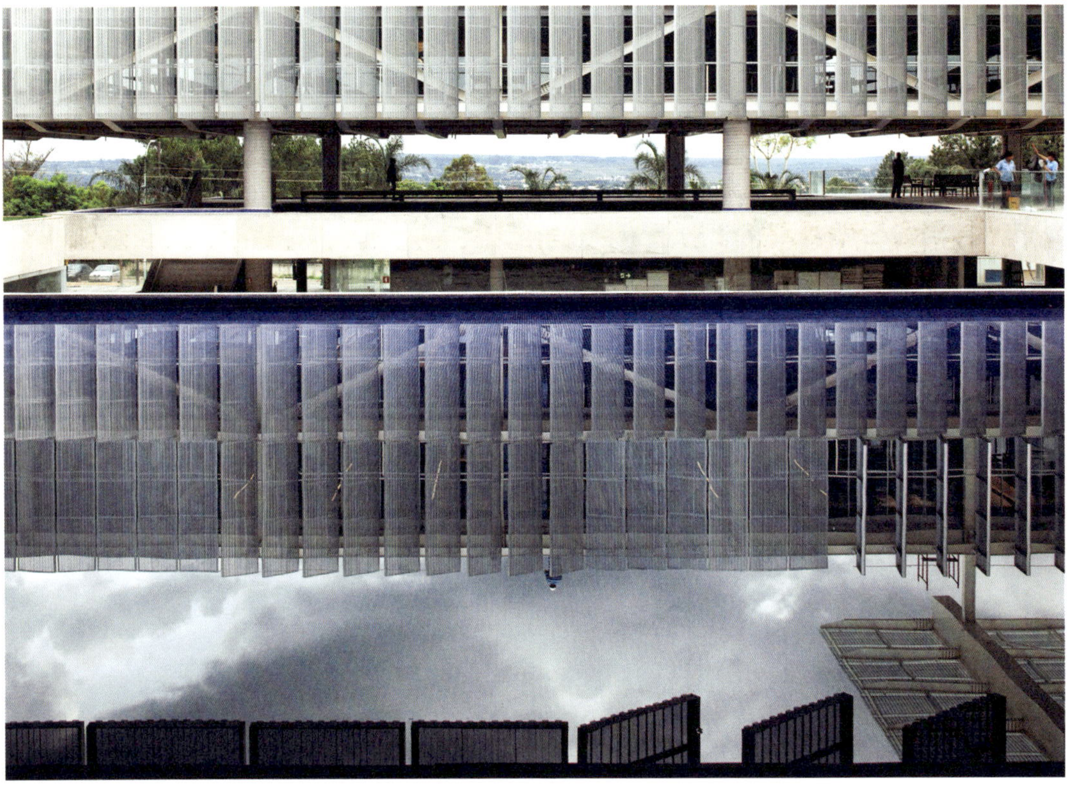

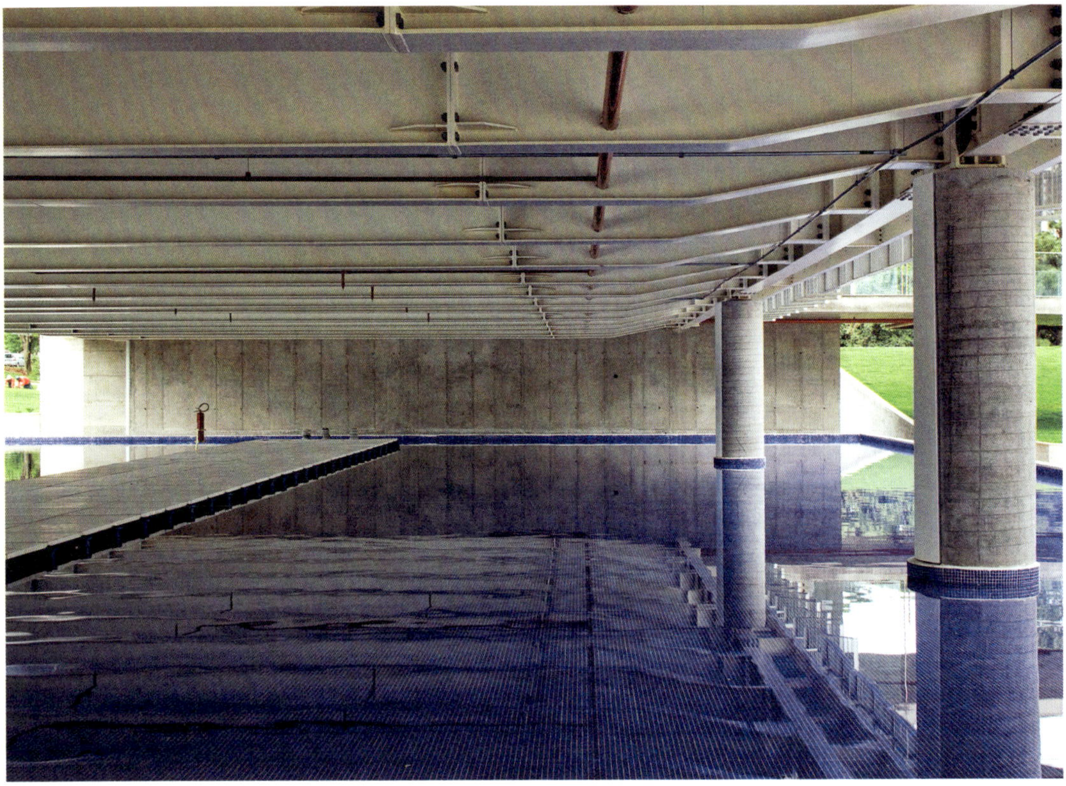

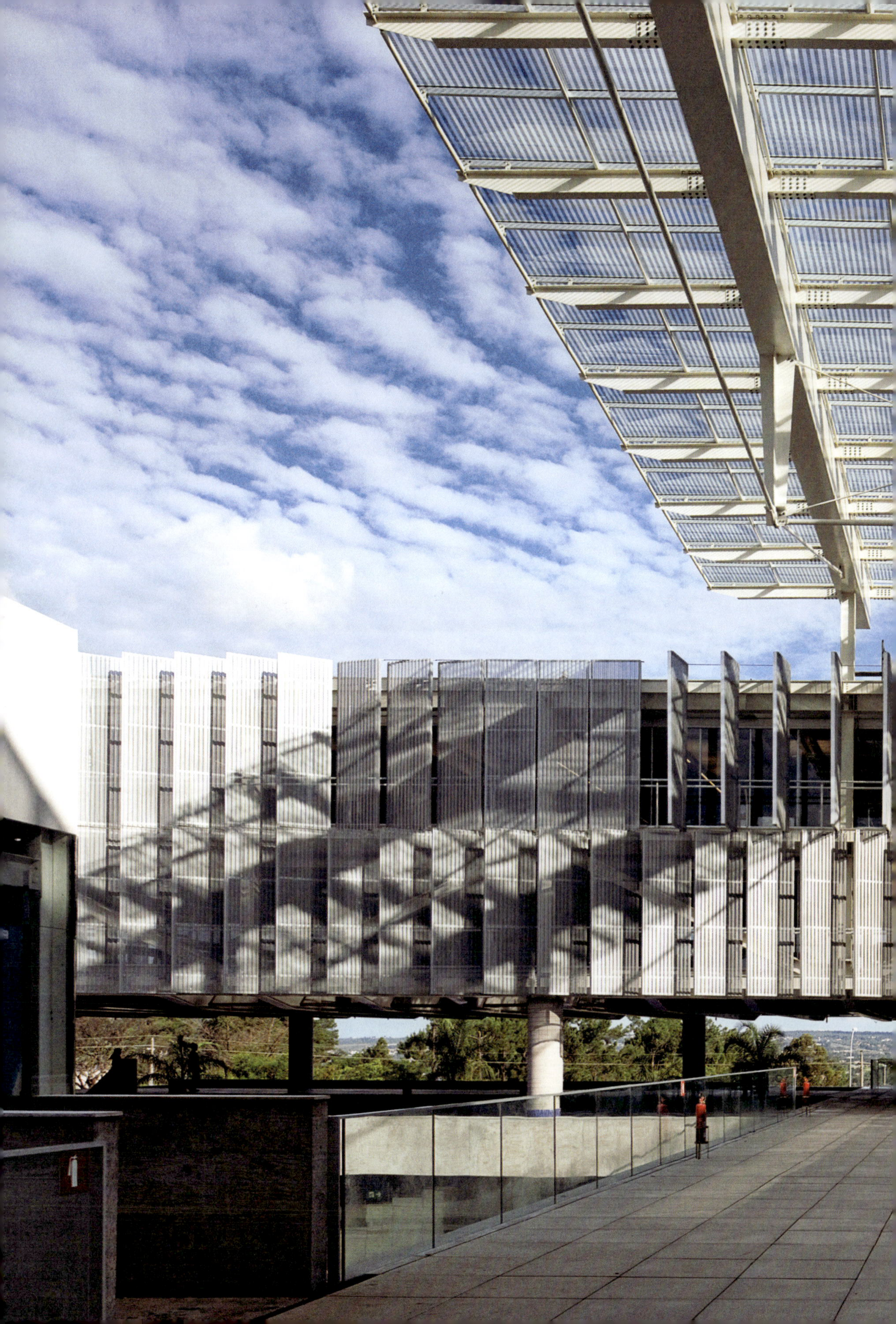

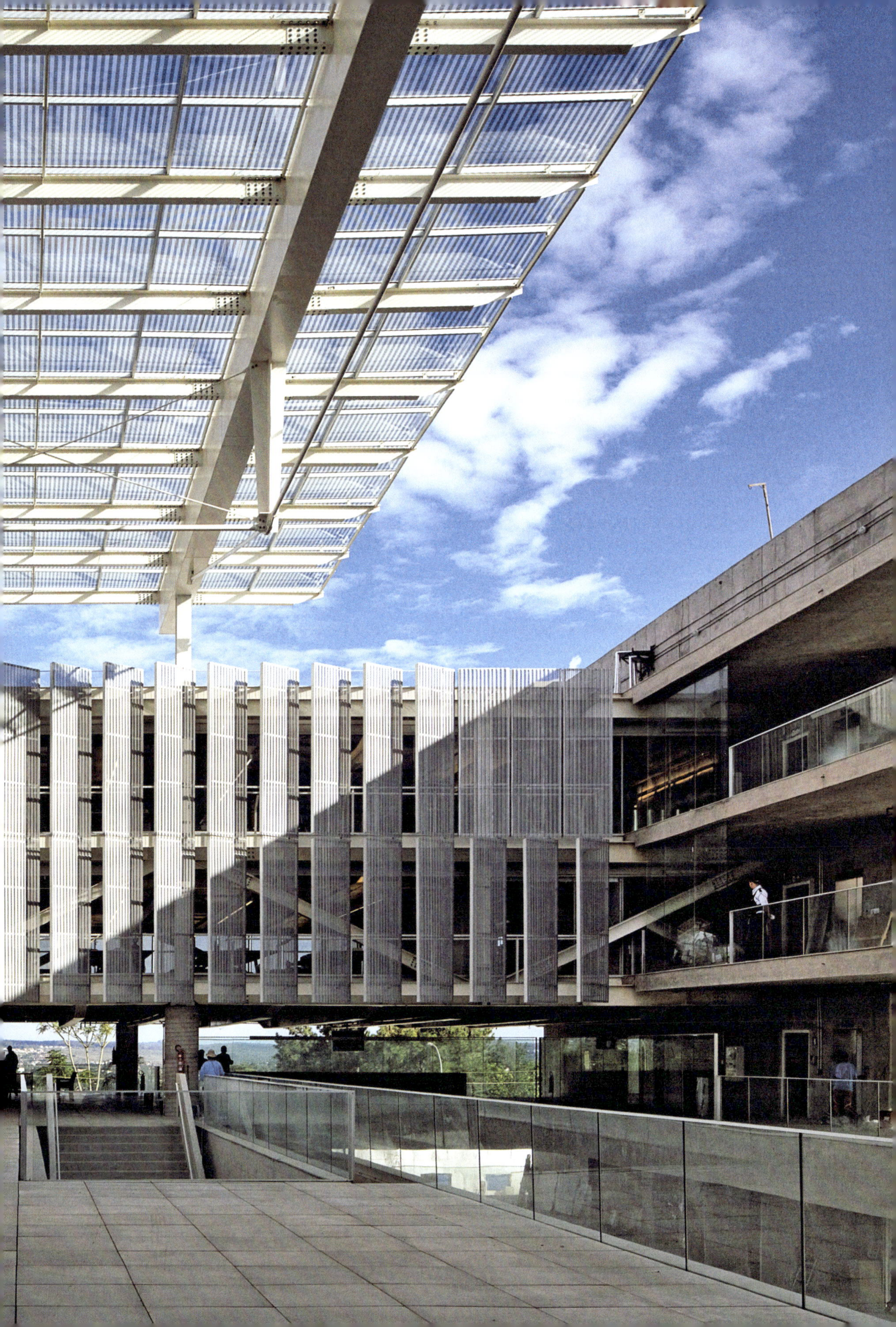

# SESC LIMEIRA

LIMEIRA, SP, 2017 (EM ANDAMENTO)
COM JOSÉ PAULO GOUVÊA E PEDRO MENDES DA ROCHA

---

Recentemente, o Sesc São Paulo tem promovido concursos de projetos para suas novas sedes, o que permite uma oportunidade de reflexão coletiva e investigação por parte dos arquitetos sobre um programa singular, muito específico, dessa sofisticada rede de equipamentos no estado de São Paulo. Reconhecidamente, as unidades Sesc configuram edifícios com endereçamento público que asseguram, a partir de sua instalação, urbanidade. São valores da gestão do Sesc, amplificados pelos bons projetos e suas criteriosas paisagens.

O gruposp tem participado dessa experiência de reflexão. É a equipe vencedora do concurso público para o Sesc Limeira, com projeto em coautoria com José Paulo Gouvêa e Pedro Mendes da Rocha, em consonância ao que já é habitual em sua prática, o desenvolvimento de trabalhos em colaboração ampliada. A nova sede, quando inaugurada, certamente fará parte das reconhecidas e criteriosas paisagens.

Conforma um bloco único, com uma cobertura leve, metálica, que unifica o volume vibrante com distintos e variados vazios interiores e sombreia o chão, tornado público e atravessável.

A Praça Central, um vazio de 36x30 metros, é o espaço seminal dessa nova unidade. Pretende, como vazio, ser o elemento mais importante não por não conter ou abrigar nenhum programa, mas por se constituir numa espécie de amálgama possível de cidade. Interligará os bairros populares situados na vertente do vale com uma via de comunicação e passagem pública para a porção mais baixa do bairro. Será um ponto de encontro para todos os habitantes da urbe.

O chão contínuo, ora dentro, ora fora, reverbera a variedade de fluxos e articula essa permeabilidade interior-exterior. É assim, por exemplo, em relação ao teatro, que abre sua caixa cênica também para um anfiteatro-jardim; ou para as praças de acesso, no eixo transversal, transformado em circulação urbana e, simultaneamente, em praça-pomar coberta; do mesmo modo, as piscinas coberta e descoberta ocorrem em continuidade.

O translúcido invólucro abriga, de modo aerado, a variedade programática. Na praça, uma inédita vegetação é tanto jardim quanto pomar: jabuticabeiras, pitangueiras e outras mirtáceas qualificam essa área do interior do edifício, que se torna espaço não apenas de passagem, mas também de permanência.

A nova unidade será uma referência para a renovação do lugar. Conhecidos os efeitos da instalação de suas sedes, já podemos imaginar o animado fluxo a vivenciar e usufruir de seus espaços.

Aqui procuramos articular, de forma direta e simples, todos os ensinamentos ofertados pelos arquitetos e que nos constituem como tal. A generosidade e liberdade de Lina Bo Bardi, a inteligência e precisão de Paulo Mendes da Rocha, a flexibilidade e sutileza de Flavio Motta e, finalmente, o rigor e a assertividade de João Batista Vilanova Artigas, entre tantos outros, são como ventos que vêm de trás e nos impulsionam adiante.

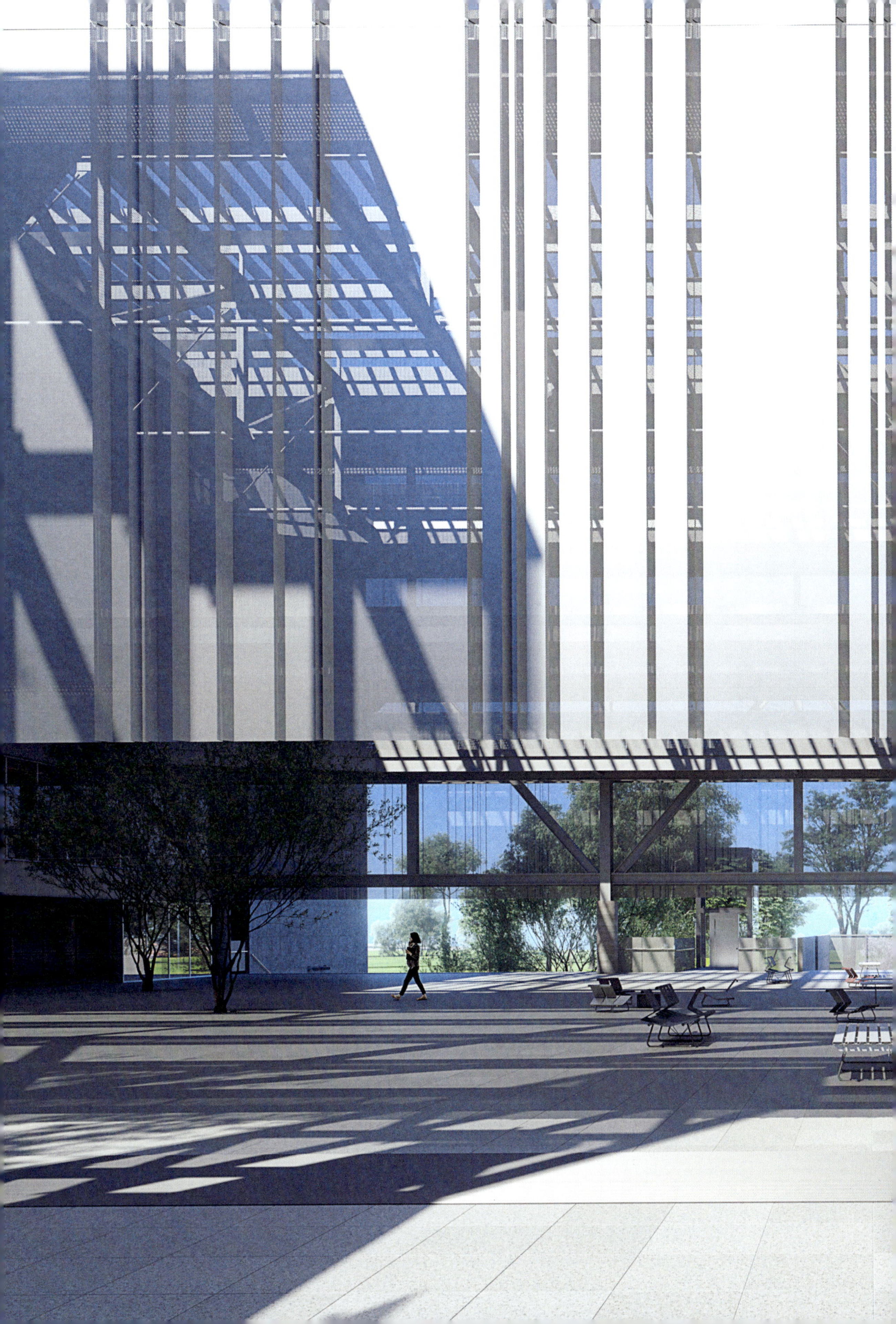

A. Planta nível 551,90 térreo superior
B. Planta nível 559,82 piso 2
C. Planta nível 467,74 piso 4

0  5  15m
1:1250

A.

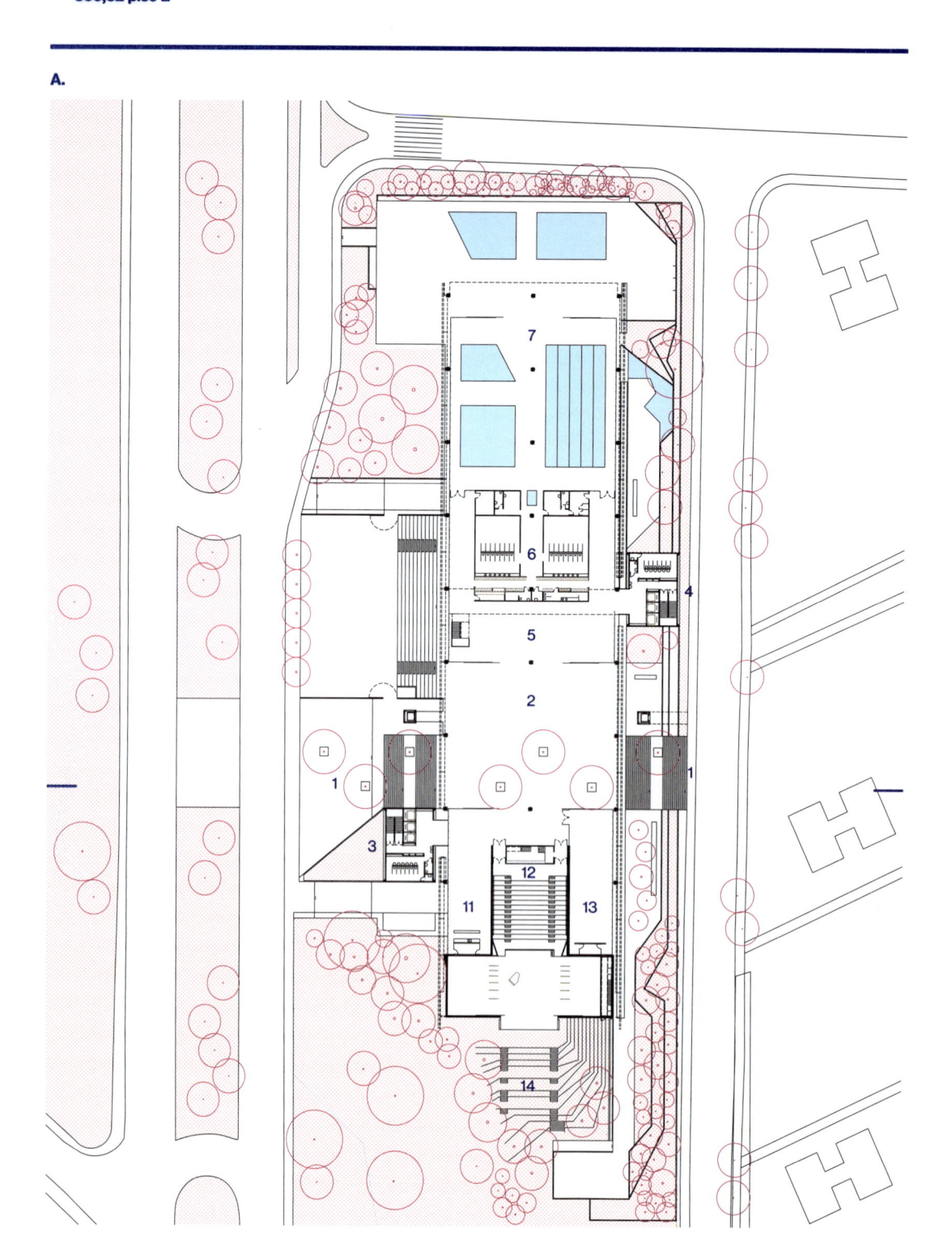

1. Acesso
2. Praça central
3. Torre de serviços Oeste
4. Torre de serviços Leste

**Bloco Norte**
5. Atendimento
6. Vestiários
7. Piscinas cobertas e descobertas
8. Espaços multiusos
9. Quadras poliesportivas
10. Clínica odontológica

**Bloco Sul**
11. Café
12. Teatro
13. Exposições
14. Anfiteatro aberto
15. Biblioteca
16. Oficinas culturais e tecnologia
17. Restaurante
18. Mirante

B.

C.

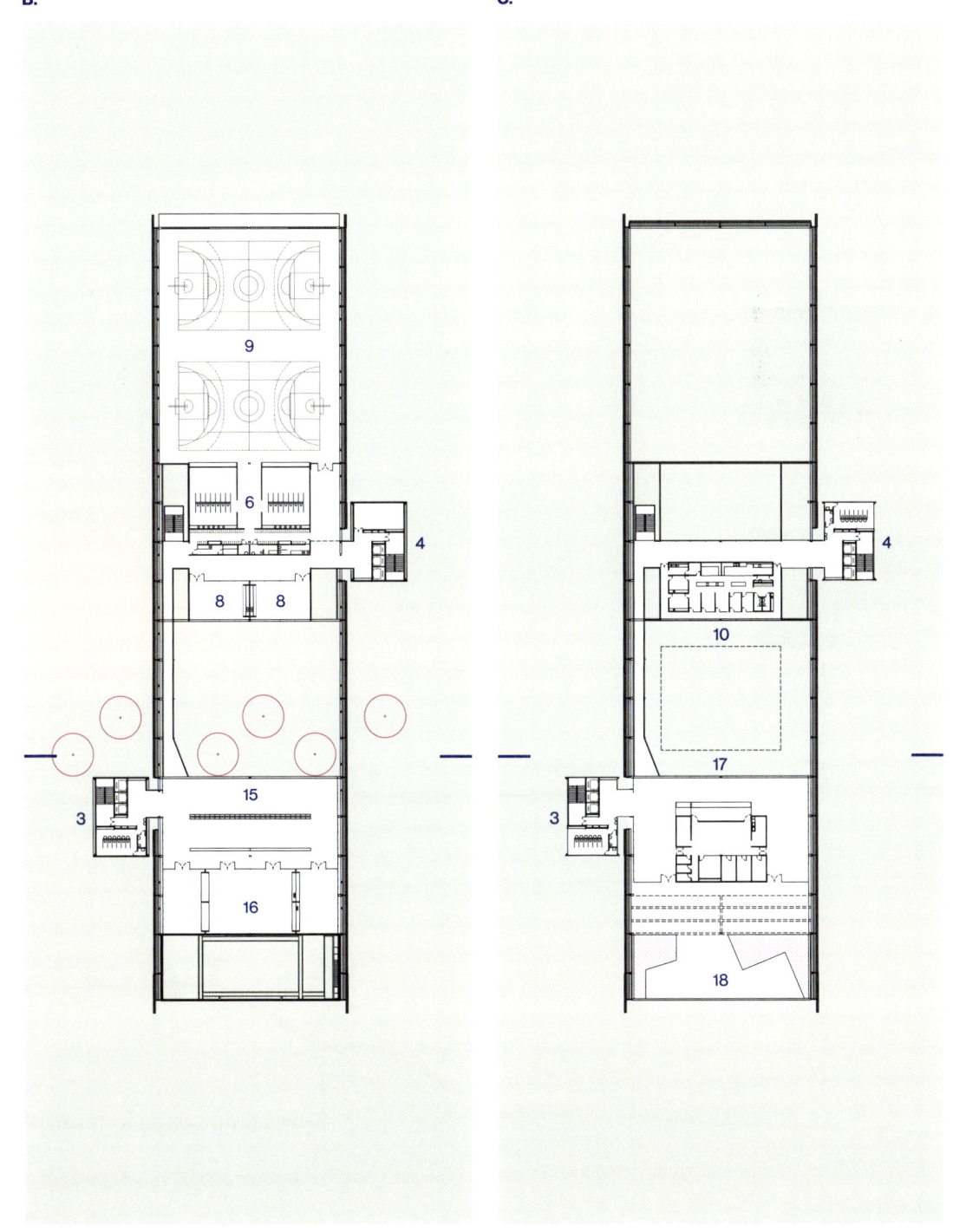

# 90

**D. Corte
transversal**

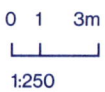

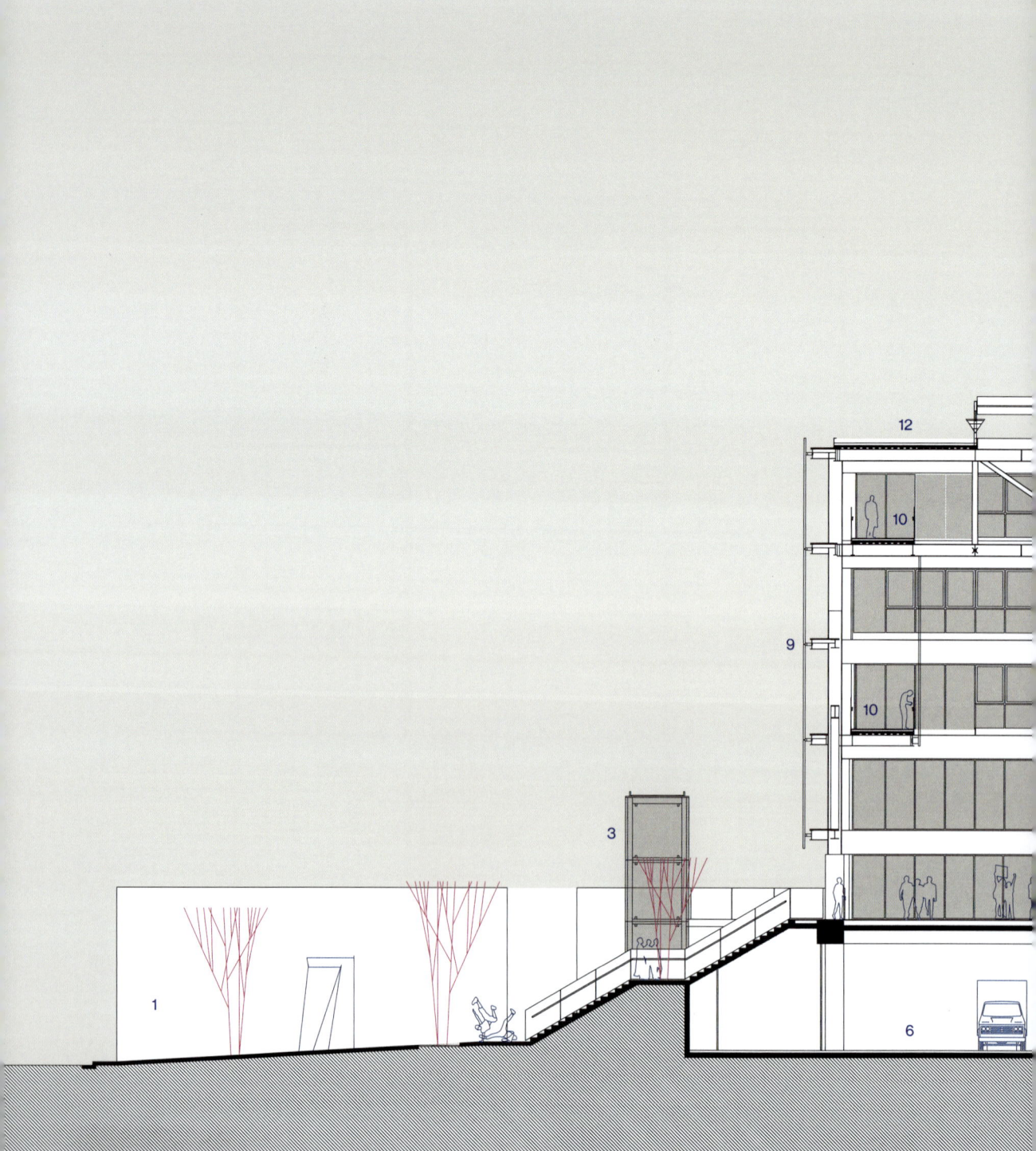

0  1    3m

1:250

1. Acesso via Luiz Varga
2. Acesso rua João Ciarrochi
3. Dispositivo de circulação vertical: escada e elevador
4. Torre de serviços Leste
5. Praça central
6. Estacionamento
7. Serviços
8. Camarins
9. Treliça de aço, passarelas técnicas, brise metálico
10. Passarela de ligação dos blocos, estrutura atirantada
11. Cobertura basculante de ventilação e iluminação
12. Laje técnica

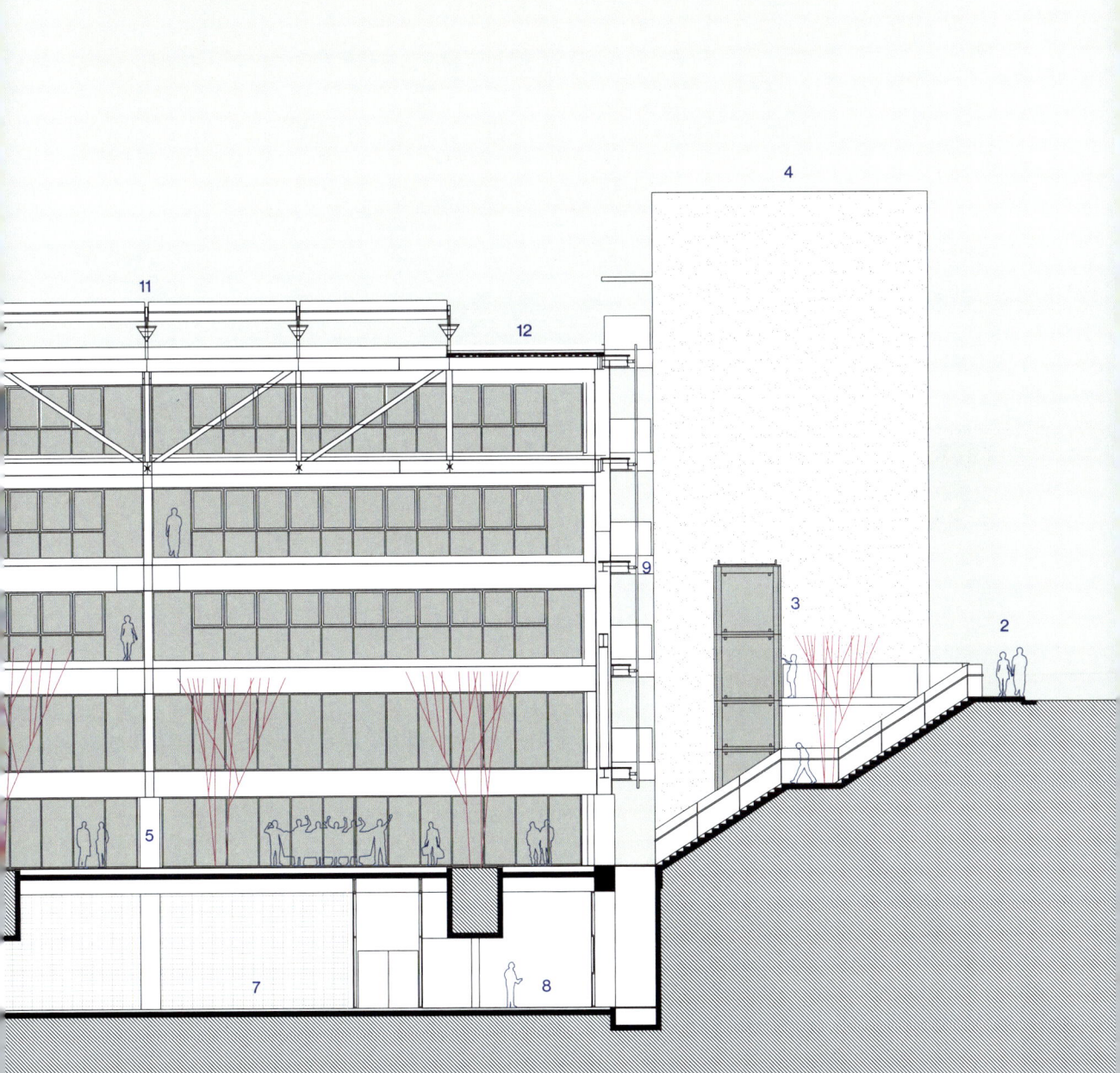

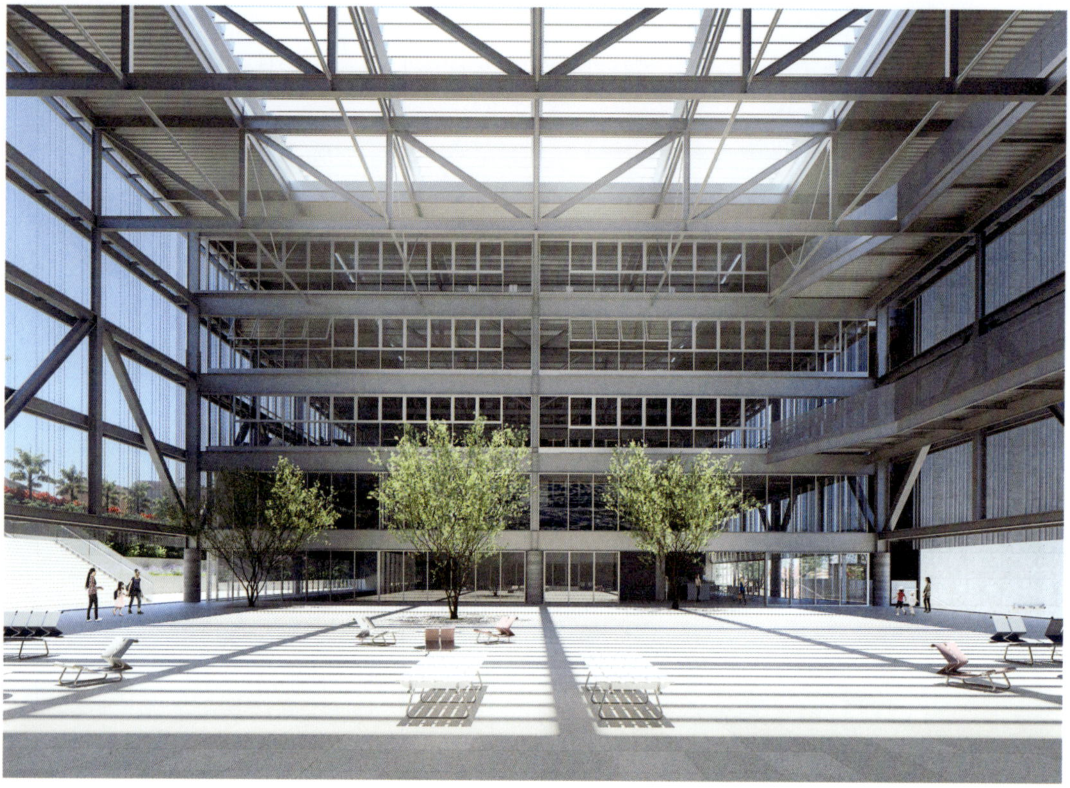

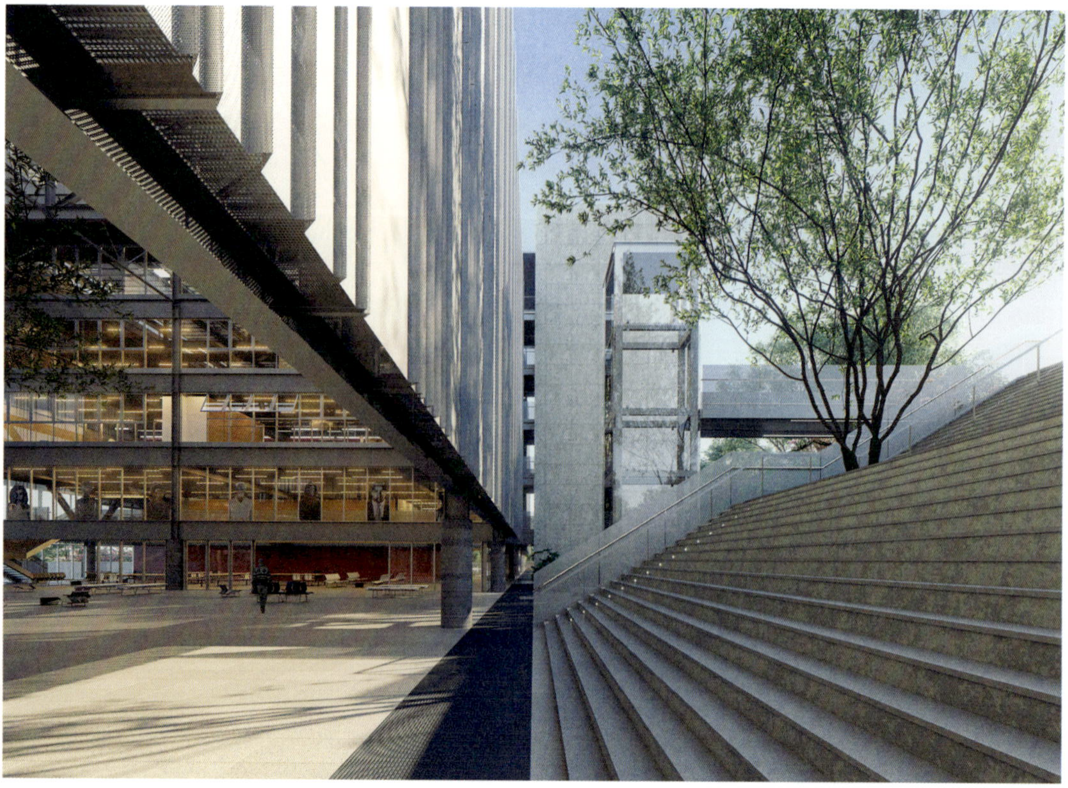

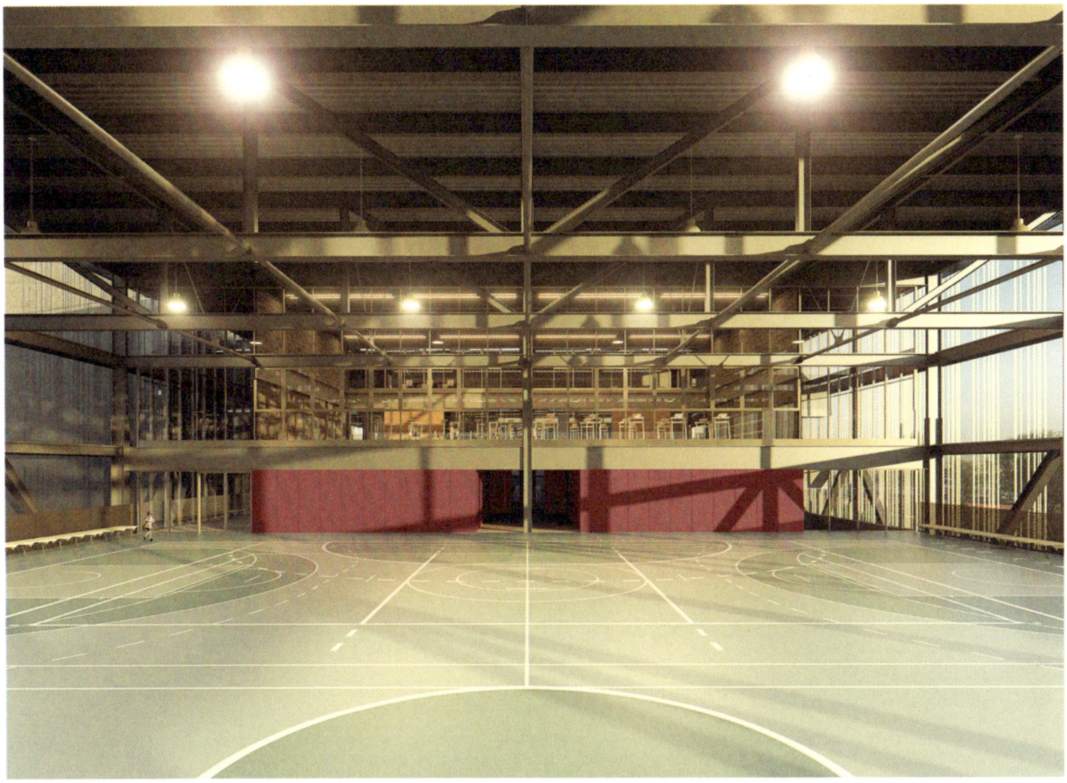

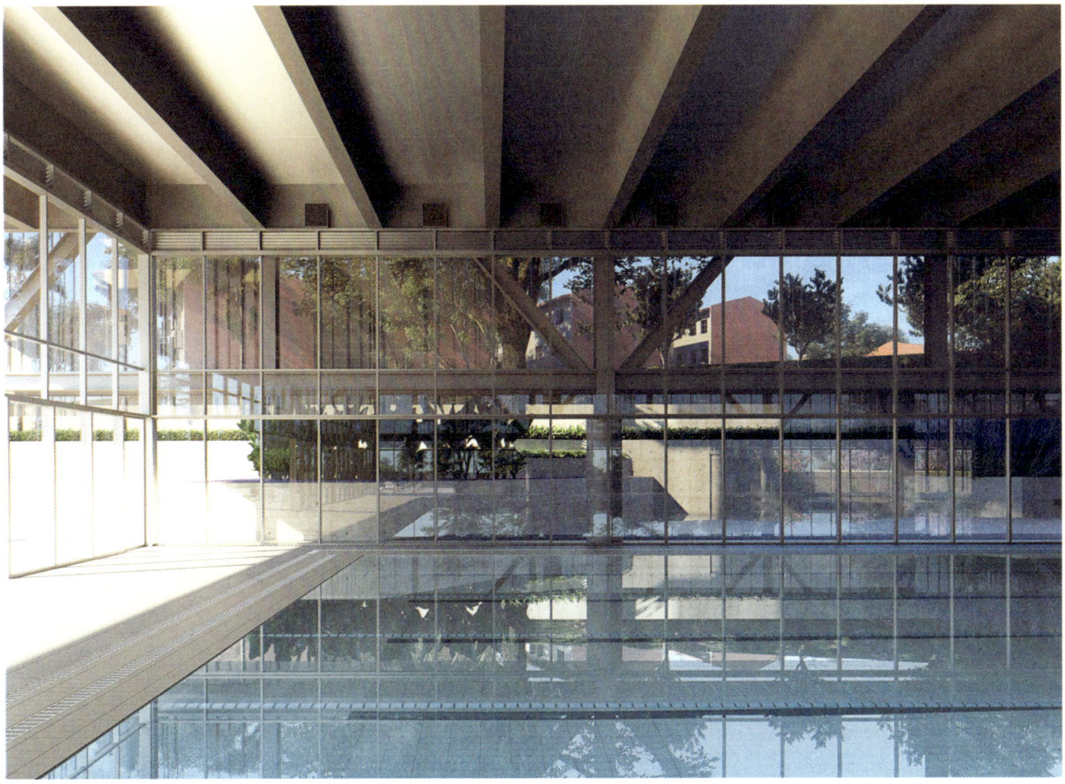

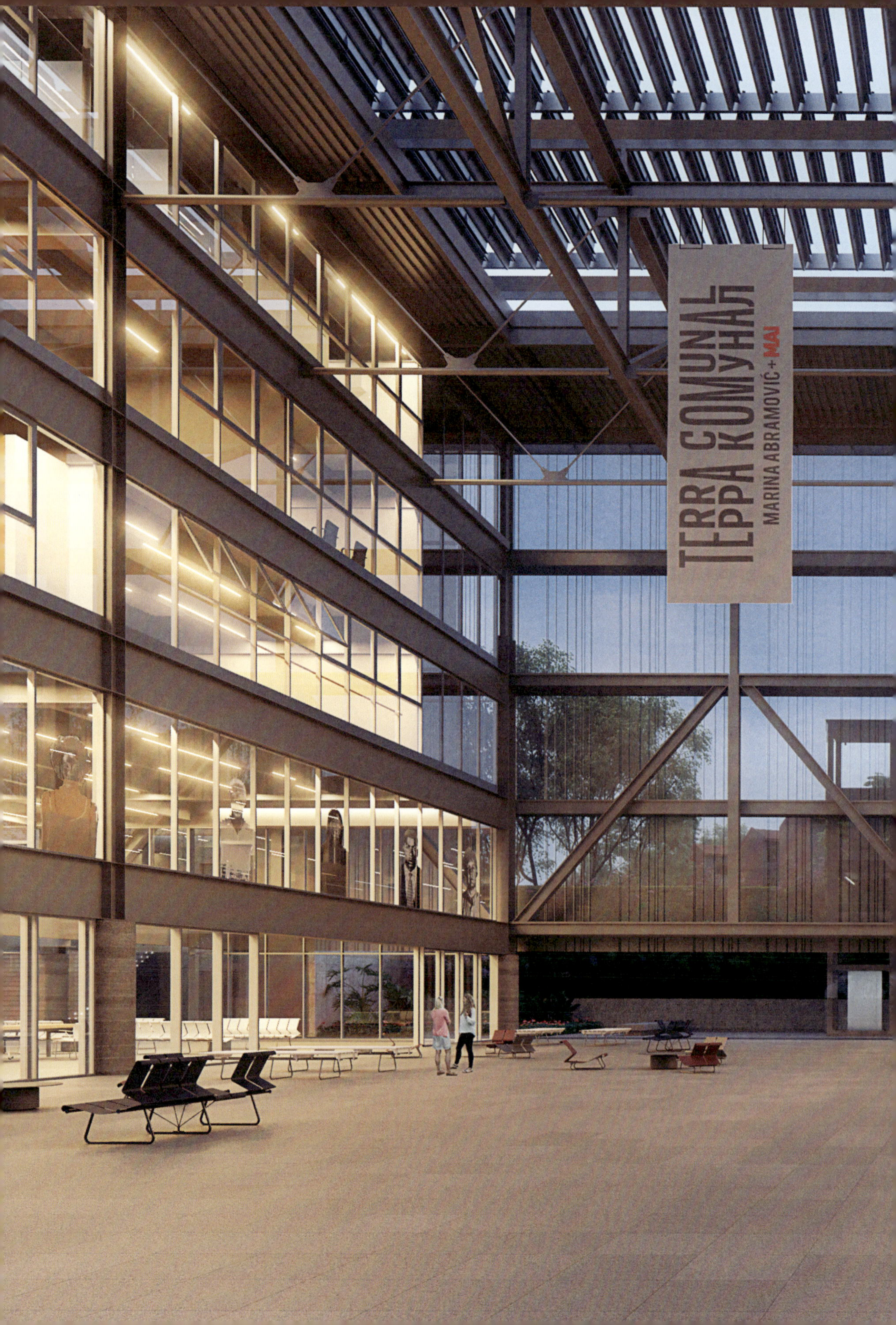
TERRA COMUNAL
ТЕРРА КОМУНАЛ
MARINA ABRAMOVIĆ + MAI

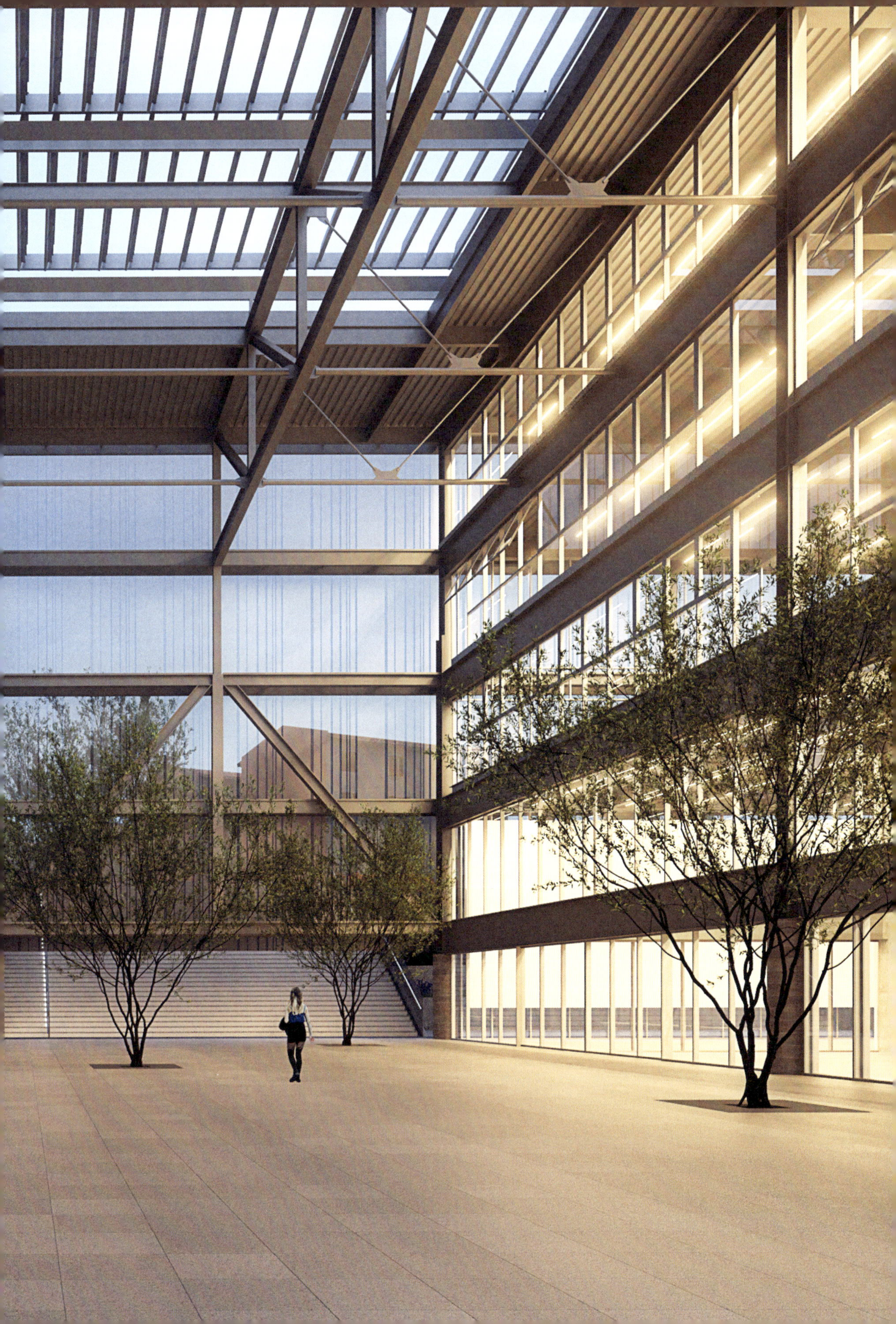

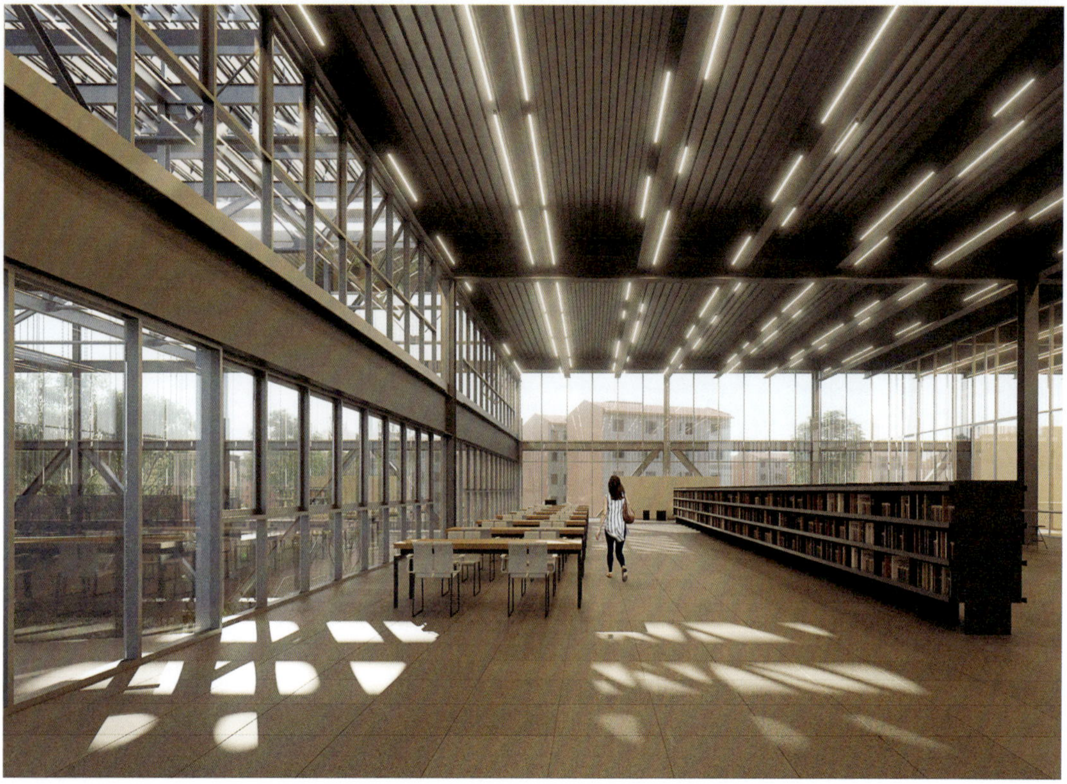

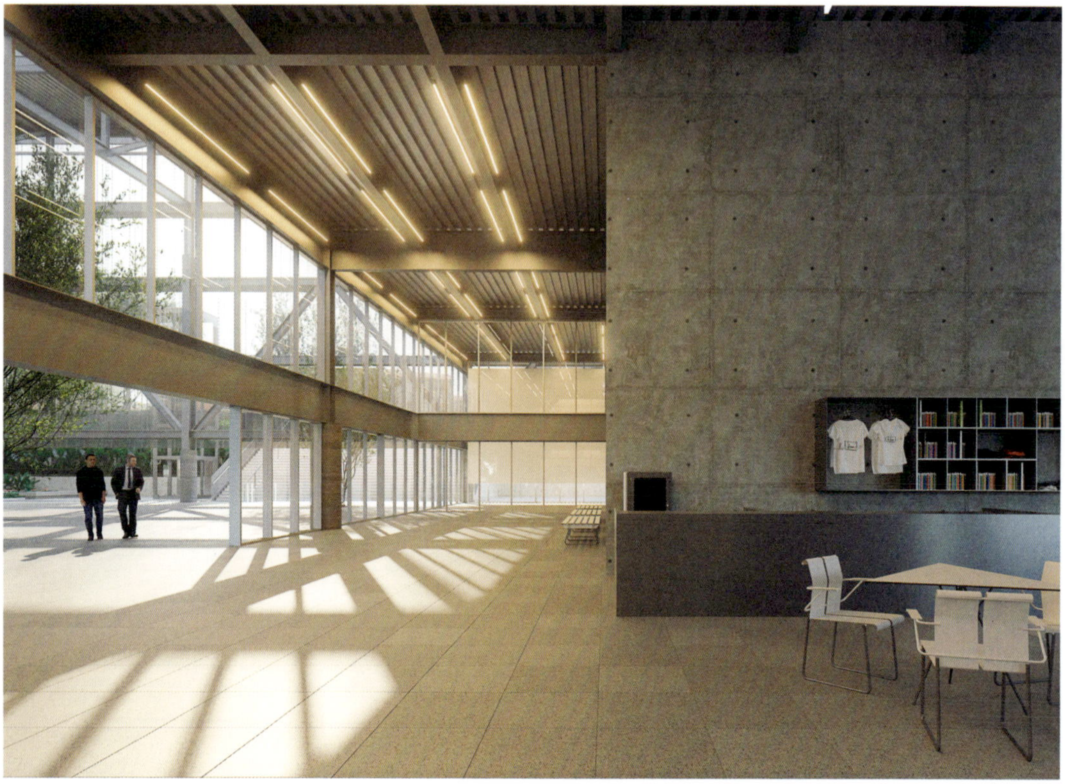

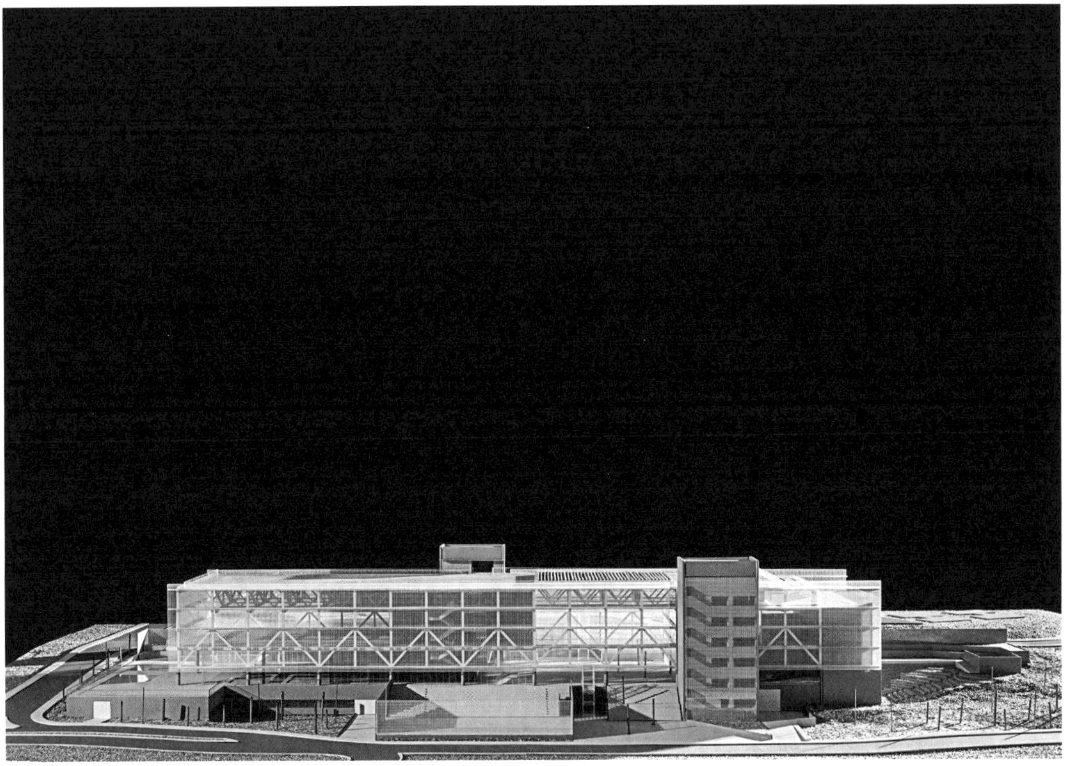

# ENTREVISTA

MARTA BOGÉA
MÔNICA JUNQUEIRA
PEDRO KOK

Alvaro Puntoni é arquiteto formado pela FAU-USP (1987), mestre (1998) e doutor (2005) pela mesma instituição. Desde 2002, é professor de projeto da FAU-USP e professor associado da Escola da Cidade, da qual foi um dos fundadores, em 1996, e é atualmente presidente (2019-2024). Na mesma associação coordena o Curso de Especialização América – Geografia, Cidade e Arquitetura, junto ao Fernando Viegas, desde 2010. Sócio-fundador do gruposp.

João Sodré é arquiteto formado pela FAU-USP (2005), mestre (2010) e doutor (2016) pela mesma instituição, com pesquisas sobre arquitetura e viagens de formação. É professor da Escola da Cidade e da Faculdade Armando Alvares Penteado (Faap). Dirigiu os documentários *Elevado 3.5* (2007), filme vencedor do 12º Festival "É Tudo Verdade", e *PMR 29': vinte e nove minutos com Paulo Mendes da Rocha* (2010). Sócio-fundador do gruposp.

A entrevista prevista pela coleção acabou se transformando em oportunidade de diálogo também com outros interlocutores. Atenta à caraterística da dupla, que é sempre interessada em colaborações e parcerias, propus que substituíssemos a estrutura unidirecional, entrevistador-entrevistado, por uma mesa com convidados, o que nos permitiria, a partir das obras do escritório, acessar um pensamento em movimento. Esta "entrevista" ocorreu em diálogo com Mônica Junqueira de Camargo, que é uma referência para pensarmos criticamente a produção da arquitetura brasileira, mais especificamente a produção da arquitetura paulista, com uma atenção muito sofisticada à produção recente, e com Pedro Kok, que vem tendo a oportunidade de fotografar os trabalhos do escritório e, no desafio de reconhecer e propor enquadramentos desta produção, é hoje um fotógrafo-interlocutor próximo e recorrente.

**MB** Quero começar agradecendo a Mônica e Pedro o privilégio deste encontro. E iniciar perguntando ao Alvaro e ao João: como o escritório, com a configuração que tem hoje, se formou?

**AP** A FAU é o que nos une, a mim e ao João, com uma condição muito *sui generis*. Porque o João não era exatamente meu colega da FAU. Claro que é "colega" da FAU no sentido mais amplo e bonito da palavra, porque sempre que você dá aula você já é automaticamente colega do estudante. Mas ele era de uma outra geração, assim como o Jonathan. Então esse artifício de se associar a outros escritórios naquele momento parecia estratégico. No início erámos eu, o João e o Jonathan. E sem clientes, sem capital, o único capital éramos nós mesmos. E o João eu já conhecia, fazíamos concursos juntos no SPBR[1]. No final de 2003, eu saí do SPBR e o João foi comigo. Em 2004 formamos o gruposp. O nome gruposp veio de um concurso que a gente fez na Itália, chamado *Living Box*, que tinha que ter um pseudônimo. Depois acabamos adotando o nome[2].

**JS** Fizemos o primeiro concurso como gruposp junto com o doutorado do Alvaro. Eu colaborava redesenhando alguns projetos que ele estava estudando e, no começo de 2004, teve um concurso de habitação para locação social promovido pela prefeitura, o "Habitasampa". Como tinha um pouco a ver com sua pesquisa sobre módulos habitacionais, decidimos entrar e, naquela ocasião, aplicamos pela primeira vez a estratégia de um mesmo partido de projeto para terrenos diferentes. Repetimos isso muito tempo depois, em 2016 no concurso de moradia estudantil para a Unifesp. Ainda em 2004, em abril, teve também o concurso para o anexo ao Museu do Ouro em Sabará (MG)[3]. A Juliana Braga veio colaborar no projeto, e o José Guilherme Pereira Leite, que era vizinho, desceu para fazer o texto do memorial.

**PK** E já que estamos puxando linha do tempo e coincidências, 2004 foi o ano em que entrei na faculdade, e o ano de formação do escritório. Em 2006, o Alvaro foi meu professor na FAU, ano em que eu comecei a me interessar por fotografia. Em 2010, o João me convidou para participar de um projeto paralelo — a gente estava falando de colaborações —, um documentário sobre o Paulo Mendes da Rocha, e precisava de tomadas em vídeo de algumas de suas obras[4]. O primeiro convite para participar de um vídeo foi através do João. E nesse momento, comecei a ter um diálogo com o arquiteto, ao observar as obras do Paulo, também pelo olhar do João.

**JS** A primeira colaboração em vídeo do Pedro com o escritório foi em 2013, quando apresentamos um projeto para a chamada aberta da X Bienal Internacional de Arquitetura de São Paulo, que pretendia mostrar a apropriação do edifício do Sebrae[5], após dois anos em funcionamento. Era uma exposição muito singela: a maquete do concurso, uma foto do Nelson Kon, um texto da Ana Luiza Nobre e o vídeo do Pedro, o único material inédito.

**PK** Nos trabalhos que faço para o gruposp, o João participa muito do momento da concepção, do que vai ser o vídeo, de como a gente vai apresentar. Quando fiz o filme sobre o Sebrae, por exemplo, ficamos juntos lá por três dias, captando um material em que eu tentava entender, naqueles dias, não a Brasília dos palácios, ou aquela visualmente conhecida, mas a da superquadra. A relação da superquadra com o Sebrae e o chão público da cidade.

1. Casa do Butantã. Fotografia do vídeo de Pedro Kok para o documentário *PMR 29'*, 2010
2. Pedro Kok filmando a sede do Sebrae em agosto de 2013 para a X Bienal de Arquitetura de São Paulo
3. Entrevista realizada no escritório em 7 de fevereiro de 2020
4. Vista do espaço de trabalho em novembro de 2020

**AP** Em relação ao Sebrae, por mais que se fale que o edifício é monumental, ele não tem nada de monumental. É muito comum. Como se faz um palácio? Você coloca um espelho d'água na frente? No Itamaraty, a água está sob o sol, ela evapora e não serve para nada. No Sebrae, pelo contrário, a água é totalmente funcional, é sombreada, evapora e gera um microclima que é adequado, e ao mesmo tempo ela tem a beleza da água, que reflete a arquitetura e o céu de Brasília. Então o espelho d'água não é para fazer um monumento. Usamos muito a água como um elemento de zoneamento, de aclimatação, de isolamento térmico, tão importantes num clima como o nosso.

**PK** Eu me lembro claramente de quando estava fotografando o Sebrae, como uma vista do fundo, com uma teleobjetiva, passando pelo espelho d'água e olhando para o estacionamento, não é a mesma configuração da FAU, mas, a do Salão Caramelo, com os bancos, por debaixo da biblioteca, para o estacionamento.

**MB** A FAU-USP é um edifício que reinventa a geografia, construída pelo desenho, constituindo um novo chão. Um dos traços que ecoa em seus projetos. Hoje, após oito anos lá, percebo que viver alguns anos na FAU é como colar isso na retina e no movimento do corpo. O edifício é formador, ensina por experiência essa potência. Um traço que vem sendo laboriosamente aprimorado e construído num diálogo entre gerações, entre arquitetos paulistas.

**AP** Várias vezes visitando a obra do Sebrae eu me pegava pensando, "nossa, isso aqui é a FAU". Não coisas óbvias, como a solução da estrutura, o fato de a coluna conter as instalações, por exemplo, mas espacialmente, mesmo. É muito impressionante, porque parecia que eu estava em casa. É difícil escapar da arquitetura na FAU, uma arquitetura em estado puro, silenciosa e didática, uma arquitetura seminal.

**MJ** Eu percebo que tem uma coisa muito forte para além da questão da geografia, que a Marta já comentou, dessa criação de uma topografia, porque afinal ela é criada, não é dada. Eu acho que tem relação com certa tradição positiva, uma tradição nos termos propostos por Antonio Candido, que a compara com uma corrida de bastão[6]. Você tem que passar o bastão para a frente, ou seja, você tem que recebê-lo para poder passar adiante. Para ele, a tradição é uma coisa viva, e é nesse sentido que eu vejo a transmissão de ideias para reelaborar, não é apenas uma passagem. Aquele texto que escrevi sobre a casa de Carapicuíba era a ideia de um necessário passo à frente, não dá apenas para guardar e reproduzir, você também tem que fazer a coisa correr, isso é uma coisa muito forte no trabalho de vocês[7].

**MB** É tão bonita a imagem proposta por Mônica a partir do Antonio Candido, da corrida de bastão. Não é só pegar, você tem que levar para outro lugar, acho que foi a forma mais nítida com que eu vi tratada essa ideia do legado, não como uma coisa que se recebe e acomoda. Uma coisa que se recebe e transforma. Transforma o legado num legado a ser transmitido por cada um que o recebe de outro modo.

**MJ** Identifico outras referências, talvez de uma arquitetura mais norte-americana, uma casa mais compacta, mais setorizada, o próprio Marcel Breuer, com a casa binuclear, construída no jardim do MoMA para a exposição de 1949[8], e aí tem toda uma linha de arquitetos que vai tratar a luz como um dado de projeto. Na casa do Morro do Querosene, não só a luz natural, como também a luz artificial. Vocês usam o banheiro como o foco de luz, isso é muito bonito, isso é uma coisa muito de vocês, não vi isso usado em nenhum outro lugar.

**AP** A luz do banheiro é zenital e a ideia é que à noite fosse o reverso, que a luminária da casa fosse o banheiro.

**MJ** O que fecha para dentro da sala é uma superfície translúcida. É muito bonito isso. E se você pegar a obra do Frank Lloyd Wright, a sua luz não é escancarada, pelo contrário, é absolutamente controlada, cada ambiente com sua luminosidade, seja ela natural ou não.

**AP** Se você pensa na arquitetura como esse jogo sábio das luzes e das sombras de que falava Le Corbusier. A arquitetura tem dez mil anos, porque a invenção das cidades como conhecemos remonta a esse tempo. Mas tem uma coisa chamada "noite", que só existe há cem anos. Antigamente você acendia as velas. Lembram do Kubrick utilizando a vela como iluminação artificial em *Barry Lyndon*[9]? Hoje existe o anverso e o reverso, a arquitetura não é só de dia. Eu até diria que a arquitetura é mais de noite do que de dia, ou tanto de dia quanto de noite, existem os dois momentos, que você tem que, de alguma maneira, vislumbrar, considerar...

**MJ** Exatamente. Eu me lembro de quando visitei a casa. A iluminação do banheiro se torna um foco de luz muito importante, e ganha um destaque no programa que normalmente essa peça não teria. Acho isso uma qualidade, os serviços ganham protagonismo. Estão numa mesma relação, ou seja, dentro do programa, a princípio, não existe essa hierarquia entre o que é mais importante, o que é frente e o que é fundo, vivência ou não, mas é uma coisa que se relaciona mais pela funcionalidade, no sentido da convivência, da integração entre o que é mais e o que é menos visível. Enfim, eu acho isso muito bonito na maneira como vocês trabalham, bastante interessante.

**MB** Mônica, sobre essa casa do Morro do Querosene, você escreveu um lindo texto[10], com uma tradução tão precisa, como se os livros fossem parte constitutiva da casa; como era mesmo essa abordagem?

**MJ** Eu acho que é muito nítido, partiu dos livros, dessa biblioteca, o desejo de criar um espaço de vivência com a biblioteca que configura a estrutura da casa. A questão da biblioteca nas casas em geral, e para os intelectuais, sobretudo, ela é uma parte fundamental. Em algumas casas, a biblioteca é como um anexo. E aqui eu achei uma coisa muito interessante, ela é mais integrada, faz parte da vivência mesmo, é a ideia do viver entre livros. Uma coisa mais à vontade com os livros.

**AP** Sabe uma casa em que isso é muito notável? A própria casa do Paulo, no Butantã[11], o que define o que são a sala e os quartos é uma estante contínua, e você segue entre os livros para acessar os ambientes.

**MJ** Ou a do Juarez Brandão Lopes[12], que fica ali perto também, uma casa muito bonita, muito interessante e é uma casa baseada justamente nessa coleção de livros. É uma casa muito experimental, um pouco diferente. Mas, na casa do Morro do Querosene, o que achei muito interessante foi justamente essa integração da biblioteca com o espaço de vida da casa, faz parte do cotidiano mesmo. Ou seja, uma hora você está conversando ou jantando e tem um livro ao seu alcance. Então é uma convivência também das crianças com esses livros, não é um espaço de reclusão, embora tenha esses patamares que chamam muito a atenção. Foi por aí que eu tentei ler essa casa, para além das questões estruturais, de como ela se acomoda, de como ela conversa com a cidade, o programa.

**AP** Acho legal essa discussão que é a ideia de concentração dos serviços, que seria o espaço servidor, acho que tem muito a ver, Mônica, com uma ideia assim: arquitetura imagética, que o Bruno Zevi chamaria de "continente", em que você só se importa com o invólucro, a volumetria, que é aquilo que interessa.
E o Zevi defende que arquitetura tem também o conteúdo, a questão justamente do espaço que você constrói, onde você vive, aquilo que você não percebe no primeiro momento etc. Então, olhando assim, de forma retrospectiva, tem isso que a Mônica estava falando: dar forma aos serviços. Eles estão concentrados, para de certa forma criar um continente/conteúdo, onde você tem os serviços superexpressivos, e, de alguma maneira, cria um mecanismo reverso de raciocínio. Então essa casa, a expressão dela, são só os serviços, porque se você considera esses pequenos ambientes, que são os dormitórios com os sanitários, as estruturas de movimento do corpo no espaço, que é a circulação vertical, contidos em um bloco claro e definido... eles confirmam o vazio, onde de fato temos o que interessa: o espaço para o encontro. Sempre há essa preocupação. A casa do Querosene, a sede do Iphan, o Sebrae, o CAU/BR+IAB-DF, a casa em Serra (ES).

**MJ** A questão do programa é forte. A organização do programa, a setorização.

103

5. Maquete Casa Carapicuíba, 2002
6. Maquete Museu do Ouro, 2004
7. Maquete Sebrae (concurso)
8. Maquete desenho piso Casa de Itu por Andrés Sandoval
9. Casa em Itu, SP
10. Casa em Serra, ES

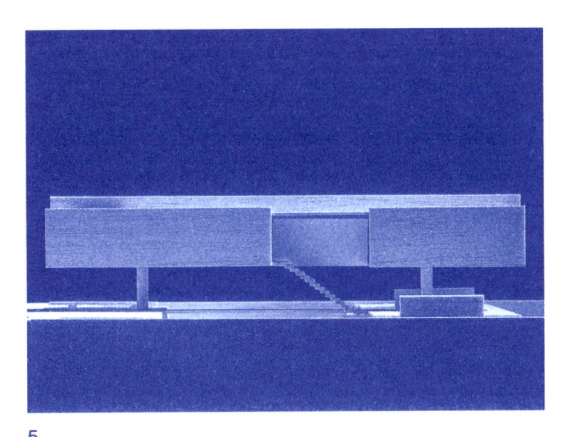

5

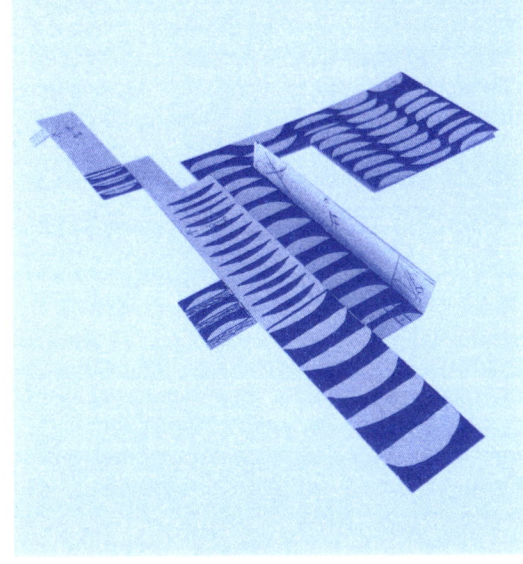

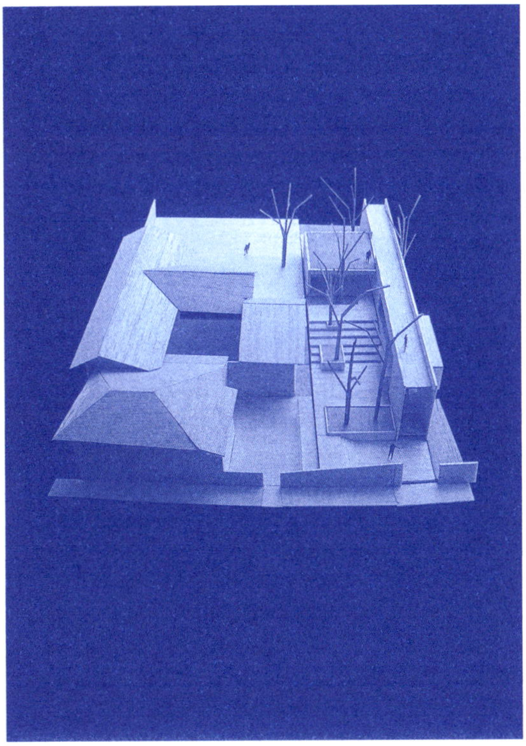

6

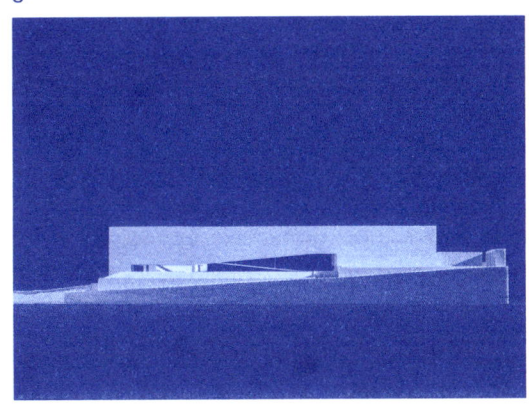

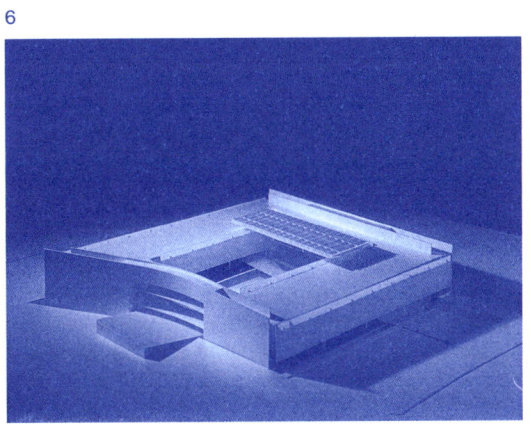

7

8

9

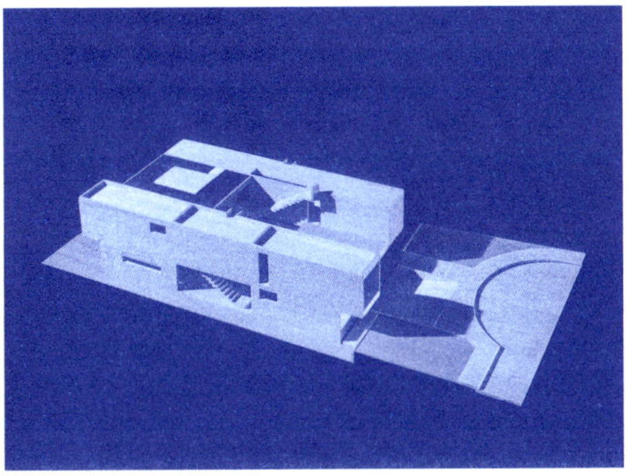

10

O programa ajuda nessa organização, que reflete na própria espacialidade, entra como um dado de referência. Para outros arquitetos, o Niemeyer, por exemplo, o programa não é determinante, ele cria uma forma, e depois se vai ver como o programa se adapta àquele espaço. Eu tenho a sensação dessa presença muito forte do programa no trabalho de vocês, não como um limitador, mas como um elemento de articulação de espaços, de modo de vida.

**MB** Estabelece uma relação não hierárquica, uma relação de continuidade.

**AP** Como na casa do Jardim Paulistano. Os serviços estão concentrados no centro, como uma pedra, que é a estrutura. Os quartos, esses espaços atomizados, são totalmente, inversamente, o vazio, o resultante negativo da concentração de serviços. Então você não tem um continente que depois determina o conteúdo, ela já nasce de forma íntegra, continente/conteúdo.

**PK** O que eu sinto nas obras do escritório é que o enquadramento é sempre dado. O enquadramento na câmera, para mim, é sempre muito óbvio. Ao fotografar uma obra do gruposp, entro em um espaço e já sei onde deve estar a câmera. Na grande maioria das vezes, a minha relação com o escritório foi com trabalho em vídeo, não em foto. Mas não faço distinção entre isso, até porque considero mais a minha formação como diretor de fotografia dentro do que é a imagem em movimento. Então, em todos esses projetos do gruposp, eu já estive, eu já os documentei de alguma forma.

**MB** É interessante isso que você diz, Pedro, são perceptíveis o movimento do corpo no espaço e a construção criteriosa de novas visuais.

**PK** O vídeo da casa no Jardim Paulistano, em 2015, foi uma documentação pontual da obra, pois o enquadramento, naquele caso, não estava dado. A fotografia da obra é da ação, com alguma materialidade, mas ela não é do espaço. Mas, para a exposição em Veneza, eu acho que o João pode até falar como é que foi feita toda a aproximação, mas quando eles me procuraram, em 2018, já vieram querendo que fosse um vídeo, sobretudo a partir de uma conversa entre as obras do gruposp e outras consideradas emblemáticas e importantes para o escritório, como o vão livre do Masp, a marquise do Ibirapuera, o Salão Caramelo, a rua interna do Sesc Pompeia, o Centro Cultural São Paulo, entre outros.

**MB** Você se refere à exposição na XVI Bienal de Arquitetura de Veneza, em 2018? Isso é um dado importante: tinha alguma encomenda? Como as curadoras chegaram ao escritório?

**JS** Na verdade, as curadoras Yvonne Farrell e Shelley McNamara, do Grafton Architects, entraram em contato porque conheciam a escola em Votorantim, por incrível que pareça. Num primeiro momento, nos solicitaram alguma proposta que respondesse ao tema da exposição, a partir do manifesto "Freespace", escrito por elas. Pensamos em um dispositivo de 3 x 3 x 15 metros, que seria construído a partir de vergalhões de aço, recriando em escala 1:1 alguns espaços que eram recorrentes nos projetos do escritório, como uma matriz. Espaços contenedores, especialmente, pela sua dimensão e proporção. A nossa sugestão era que ele pudesse ser colocado numa *Fondamenta* ou no *Giardini*, para que pudesse servir de abrigo, como uma sombra pública ofertada à cidade. O projeto não foi aceito, elas vieram com a ideia de expor a escola, e fizemos uma contraproposta. Se era para mostrar algum trabalho, o edifício do Sebrae talvez fosse mais pertinente com o tema da exposição, o chão público de Brasília…

**MB** E elas acataram essa transformação da proposta por vocês? Como se deu essa comunicação?

**AP** É legal esse momento porque são cartas, trocas de mensagem. É um projeto escrito.

**JS** E no final havia essa demanda, um trabalho para ficar exposto no Arsenale. E aí fomos construindo isso, propusemos um lugar que pudesse permitir a livre passagem, a partir das instalações vizinhas. Resumindo, nossa exposição era uma simulação do espaço do Sebrae, em escala 1:20. Consistia em duas chapas de aço paralelas, uma reta e uma curva, ambas pintadas de branco e com 3 mm de espessura e dimensão total de 0,90 m x 3,60 m, pairando sobre o chão do Arsenale. Do corredor central, a chapa curvilínea anunciava o nome da exposição: *Unnamed spaces*. No espaço entre as chapas é que os dois vídeos seriam projetados, um com obras do escritório e outro com projetos referenciais de São Paulo. No verso da chapa retilínea, já quase junto à parede, havia um pequeno texto com os diagramas de dez obras do escritório, cinco construídas e cinco não construídas.

**PK** Eu tinha uma dificuldade muito grande em entender esse projeto porque eu não queria dar um sentido a ele. Não queria que fosse um filme narrativo que explicasse essas obras. E a solução que adotamos ao final era de dois vídeos, de onze e dezesseis minutos, sendo exibidos simultaneamente, não sincronizados, sem sintonia de imagens. Em um deles, passavam as imagens de obras do gruposp; em um outro vídeo, as obras mencionadas. Eu queria que em determinado momento acontecesse alguma associação de imagens entre dois projetos distintos e que ela não fosse forçada, a não ser pela minha forma de observar e enquadrar aqueles espaços icônicos.

**AP** Sempre que a gente vai conversar fora do país sobre nosso escritório, creio ser importante se situar, mostrar de onde você veio, explicar onde você mora, dizer como você trabalha. Não dá para chegar e começar a mostrar uma obra como se eu fosse um louco ou um gênio. Tudo tem um sentido, que você sabe muito bem qual é, mas quem nunca te viu não tem a menor ideia. Isso tinha a ver com a busca de uma relação entre nossa obra com os "espaços sem nome".

**JS** Os espaços sem nome, a partir do texto do Flavio Motta sobre o Paulo Mendes da Rocha.

**AP** Espaços significativos, sem nome[13]. Nesse texto, Flavio Motta indica a existência de espaços cuja indeterminação do programa impossibilita nomeá-los, mas que em virtude do forte caráter arquitetônico acabam sendo nomeados de acordo com seu uso, por exemplo o vão livre do Masp, o Salão Caramelo da FAU-USP, a marquise do Parque Ibirapuera.

**JS** Era um pouco isso, pensar esses espaços na nossa arquitetura e nas obras que formam nosso imaginário como arquitetos. Era uma exposição que falava a partir de São Paulo.

**AP** Tem isso, não é João? Um pouco do que a Mônica falou, que você não pode ser arquiteto sem pegar o bastão anterior. Não existe a criação a partir do nada. Parecia meio besta ir lá para Veneza expor uma obra como se fosse um demiurgo. Na realidade, só estamos tentando levar o bastão um pouco mais adiante.

**MB** E por outro lado é bonito apresentar as obras que estão conformando o interesse do próprio escritório e revelar como é que se vai resgatando tudo isso.

**MJ** Eu acho que essas referências, esse legado, acho que só qualifica. Os nossos modernos tinham muito problema com isso, a relação que se estabelecia com a experiência anterior. Acho que talvez fosse uma tentativa de ruptura com o academicismo, que eram só referências. E vocês, esta geração, têm essa liberdade e esse ganho, o reconhecimento desse legado, dessa tradição, no sentido bom de tradição.

**PK** Eu queria trazer um projeto sobre o qual a gente falou muito pouco, que é a casa em Itu.

**AP** Aí tinha uma questão, olha o tamanho do terreno. O recuo obrigatório, isso aqui são 10 metros, é a largura de um terreno habitual. A casa do Morro do Querosene cabe neste recuo obrigatório. Quando começamos o projeto, nos parecia que seria um equívoco imaginar um volume isolado. Reparamos que nesse bairro fechado todas as casas são assim, um terreno grande, recuos enormes, uma casa isolada e um jardim em volta da casa. Então vem este bastão que a gente carrega: a ideia de concentrar os serviços em uma estrutura, que fosse já o próprio anteparo visual, que permitisse gerar um espaço vazio, onde a família vivesse a vida tanto quanto eram resguardados da rua. Parecia que era um caminho interessante. Então nós propusemos essa estrutura com 45 metros de extensão, que contém todos os serviços, os dispositivos suaves de circulação. Com o desnível moderado do terreno, uma rampa caberia perfeitamente dentro da estrutura, que criava esse anteparo visual para gerar a praça interna. O que era ótimo, pois esse casal quer viver posteriormente aí, desfrutar a terceira idade nesse lugar. Aí a gente separou o programa da casa em dois blocos plugados nessa estrutura, como se os moradores da casa fossem vizinhos de si mesmos.

**MJ** Uma casa...

**JS** ... de fim de semana.

**AP** No dia em que fomos visitar o terreno pela primeira vez, caiu um dilúvio e não conseguimos ver direito o terreno. Uma coisa que dava muito receio era a praça, e foi uma sorte ter dado tudo certo. Quando estamos na praça, apenas vemos o lago, o bosque, mas não vemos os vizinhos.

**JS** Depois a vegetação cresceu bastante e ficou muito bonito. Aqui tem uma sutileza, um pátio com alguns ipês brancos que as folhas caem no inverno e permitem que o sol aqueça essa ponte envidraçada, que durante o resto do ano estará protegida pelas folhas. O projeto de paisagismo é do Tomás Rebollo.

**MB** E constrói um lugar mais cálido. Cria uma centralidade na casa que também é exterior. Que é a sabedoria da tradição árabe, o pátio onde a gente consegue ter a vida corriqueira acontecendo, o dia a dia usufruindo ao mesmo tempo dessa paisagem exterior e interior.

**JS** E tem essas brincadeiras, o mesmo piso em mosaico português dentro e fora da piscina, um desenho do Andrés Sandoval, um artista que já havia elaborado o painel para o edifício Simpatia.

**PK** Mas eu acho que é isso que de fato a casa mostra, um estranhamento para quem entra e se depara com esse espaço, porque eles são aparentemente grandes e estão com um distanciamento com o qual você não está acostumado na escala da habitação.

**MB** Como se os espaços não estivessem aproximados, contaminados, pelos outros. É diferente da contaminação habitual das casas, onde em geral é tudo muito junto. A do Querosene, por exemplo.

**AP** É, mas casas como a do Querosene são casas mais pavilhonares.

**MB** Nós temos conversado, eu, Alvaro e João, que são como séries distintas. Para os artistas isso é muito tranquilo de tratar, falo nas artes visuais, onde, para alguns artistas, as séries não se esgotam no tempo, eles voltam a elas a ponto de identificar, eles mesmos, no título das obras: "obra tal, série tal". E na arquitetura a gente quase não vê isso, o reconhecimento de séries. Essa casa, em Itu, me parece abrir outra chave, apontar para aspectos novos, distintos das experimentações nas quais vocês decompõem o volume, com vazios centrais protagonistas dos atravessamentos. Tem alguma coisa aqui no experimento de uma rotação, um giro, a produção de outra natureza de movimento, como também é visível na maquete da casa na Cidade Jardim. Distinto do *Patio and Pavilion*, presente também em alguns de seus textos. Aqui começa um campo em que o intervalo, e não mais o vazio central, é protagonista, e começam a aparecer umas rotações, outro tipo de enquadramento.

**MJ** É, mas não sei, acho o princípio um pouco o mesmo, tem uma questão de escala... refiro-me ao terreno.

**MB** Acho que tem uma rotação das próprias escadas, da movimentação. Por exemplo, o claro ir e vir longitudinal, presente nas outras casas pavilhonares, aqui ocorre associado a outros giros. Brincamos que a casa em Itu virou uma casa híbrida, que essas escadas começam a fazer um giro de corpo que aponta também para outras direções, não mais as direções prioritárias, longitudinais. A meu ver, isso não decorre apenas das dimensões do terreno.

**PK** Para mim, esse projeto foi muito marcante.

**MB** Ela é de difícil apreensão do conjunto.

**PK** Sim, ela é de difícil apreensão do conjunto.

**MB** É fragmentada, em um conjunto dissonante, que não é a repetição do mesmo módulo ou do mesmo artifício.

**PK** Ela é fragmentada, e a sensação é que eu estou no MuBE. É por causa da praça, porque existia uma praça. E não é um quintal, não é um pomar, não é um gramado, é uma praça. E acho que desde o começo vocês colocam a praça, a praça e a praça.

**MJ** E eu acho que o pátio vira praça.

**PK** Isso...

**MB** Pela dimensão?

**PK** Não é só pela própria dimensão, mas pela dimensão dos volumes que estão em volta. Porque de repente isso configura uma vila, ou a unidade de uma vila.

**AP** Essa casa parece maior do que ela realmente é, ela tem aproximadamente 700 metros quadrados.

**MB** E tem uma coisa curiosa de os volumes serem distintos entre si. Como se fossem vizinhos em uma praça, e não volumes de um único corpo edificado em torno de um pátio.

**MJ** Como se fosse uma configuração mais urbana, digamos. Isso aqui poderia ser uma praça.

**MB** Aqui apareceu a oportunidade de experimentar outra coisa...

**MJ** O que essa obra contribui para pensar e refletir sobre arquitetura? Essa ideia da praça ficou muito bonita, eu acho que essa dimensão, como o Pedro falou, acho que é isso mesmo, essa diversidade da volumetria. Eu a vejo quase como um espaço urbano, tem uma dimensão urbana.

**PK** E exatamente o que falta é essa urbanidade.

**AP** Em um lugar que não é urbano. O condomínio era originalmente uma fazenda, que virou um bairro fechado, a maioria das casas como um volume isolado, com uns recuos enormes, e um jardim em volta da casa. Nos parecia um equívoco. Daí a ideia de concentrar o máximo possível na estrutura que fosse já o próprio anteparo visual, que permitisse gerar um espaço vazio, como uma praça, onde a família desfrutasse a vida ao mesmo tempo que era apartada da rua, parecia interessante.

---

Mônica Junqueira de Camargo é arquiteta formada pela Universidade Mackenzie (1977), doutora pela FAU-USP (2000), professora livre-docente e chefe do Departamento de História e Estética do Projeto da mesma instituição. Dedica-se à pesquisa da arquitetura brasileira moderna e contemporânea.

Pedro Kok é arquiteto urbanista formado pela FAU-USP (2009), mestre em Fine Arts pela Hogeschool voor de Kunsten Utrecht (MaHKU) (2011). Fotógrafo e videógrafo de arquitetura, estruturas urbanas e cidades, tem contribuído com fotografias e filmes para publicações, exposições e arquivos nacionais e internacionais.

---

1. Escritório de arquitetura fundado por Angelo Bucci em 2003.
2. O gruposp foi formado em 2004 por Alvaro Puntoni, João Sodré e Jonathan Davies, que integrou o escritório de 2005 a 2010.
3. Prêmio Jovens Arquitetos IAB (2005).
4. Documentário *PMR 29': vinte e nove minutos com Paulo Mendes da Rocha* (2010), dirigido por Carolina Gimenez, Catherine Otondo, João Sodré, José Paulo Gouvêa e Juliana Braga. O vídeo está disponível em: youtu.be/Up2u9qS38rE. Acesso em: 25 maio 2020.
5. Primeiro Prêmio no Concurso Sebrae Nacional (2008). Com Sebrae e Edifício Simpatia, os arquitetos foram premiados na VIII BIAU, em 2012. Nesse mesmo ano, ganham o Prêmio APCA de melhor obra nacional e o Prêmio Joven Generación Latinoamericana – XIII Bienal Internacional de Arquitetura de Buenos Aires. Cf.: www.bienalesdearquitectura.es/index.php/es/viii-biau/6908-viii-biau-brasil-premiado-sede-do-sebrae-nacional.html. Acesso em: 25 maio 2020.
6. Antonio Candido, *Formação da literatura brasileira: momentos decisivos*, 5 ed., São Paulo: Edusp, 1975.
7. Casa de Carapicuíba, Angelo Bucci e Alvaro Puntoni, 2003.
8. Exposição *Marcel Breuer: architect and designer*. Curador: Peter Blake. MoMA, 1949.
9. *Barry Lyndon*, filme de 1975, dirigido por Stanley Kubrick.
10. Mônica Junqueira de Camargo, "Vivendo entre livros", *1:100 Selección de Obras*, Buenos Aires, n. 27, 2010, pp. 18-25.
11. Casa no Butantã, Paulo Mendes da Rocha e João de Gennaro, 1964.
12. Casa do Juarez Brandão Lopes, Rodrigo Lefèvre e Flávio Império, 1968.
13. Flavio Motta, "Paulo Mendes da Rocha", *Acrópole*, n. 343, pp. 19-20, set. 1967.

# FICHAS TÉCNICAS

**Museu Difuso e Urbano
33º Panorama de Arte Brasileira
MAM-SP, 2013** (p. 20)
**Local** São Paulo, SP
**Ano de projeto** 2013
**Área projeto** Edifício Técnico
4.366,60 m²
**Exposições** 33º Panorama da Arte Brasileira (MAM-SP) / *Unnamed spaces*, XVI Bienal de Arquitetura de Veneza (2018)
**Curadoria** Lisette Lagnado, Ana Maria Maia
**Coautores** André Nunes, Alexandre Mendes
**Artistas parceiros**
**Galeria Nova Barão** Domenique Foester Gonzales, Arto Lindsay
**Empena cega M. D. José de Barros** Federico Herrero
**Edifício Itá** Pablo Leon de La Barra, Leandro Nerefuh

---

**Escola Pública Jd. Tatiana** (p. 26)
**Local** Votorantim, SP
**Ano de projeto** 2006
**Ano de construção** 2008-2009
**Área do terreno** 5.385,00 m²
**Área construída** 3.525,00 m²
**Premiações** 2º Prêmio Arquitetura & Construção "O Melhor da Arquitetura" (2009) / World Architecture Community Awards 7th Cycle (2010)
**Exposições** *Unnamed spaces*, XVI Bienal de Arquitetura de Veneza (2018)
**Coautor** Jonathan Davies
**Colaboradores** André Nunes, Isabel Nassif, Julia Valiengo, Rafael Murolo
**Estrutura concreto** Zamarion e Millan Consultores
**Fundações** Mario Cepollina
**Instalações hidráulica / elétrica** Sandretec
**Contratante** FDE (Fundação para o Desenvolvimento da Educação)
**Coordenação FDE** Débora Arcieri
**Construção** Construmik

---

**Moradia Estudantil Unifesp** (p. 34)
**Local** Osasco, SP / São José dos Campos, SP
**Ano de projeto** 2015
**Área do terreno** 10.000 m² (Osasco) / 18.595 m² (Campus São José dos Campos)
**Área construída** 9.510 m² (Campus Osasco) / 7.280 m² (São José dos Campos)
**Concursos** Concurso Público Nacional de Arquitetura Moradia Estudantil – Unifesp (Campus Osasco / Campus São José dos Campos)
**Premiações** 2º lugar (Osasco)
**Exposições** *Unnamed spaces*, XVI Bienal de Arquitetura de Veneza (2018)
**Coautores** Juliana Braga, Sérgio Matera
**Colaboradores** Alexandre Mendes, Gabriela Villas Bôas, Micaela Vendrasco, Ricardo Fróes
**Paisagismo** Raul Pereira
**Estrutura (consultoria)** Rui Furtado, Miguel Maratá

---

**Edifício Simpatia** (p. 40)
**Local** São Paulo, SP
**Ano de projeto** 2007
**Ano de construção** 2008-2010
**Área do terreno** 820 m²
**Área construída** 3.000 m²
**Premiações** Premiação IAB-SP – Menção Honrosa (2008) / 4º Prêmio Arquitetura & Construção "O Melhor da Arquitetura" (2011) / VIII BIAU – Bienal Iberoamericana de Arquitetura – Panorama de Obras (2012)
**Exposições** VIII BIAU – Bienal Iberoamericana de Arquitetura – Panorama de Obras (2012) / *Unnamed spaces*, XVI Bienal de Arquitetura de Veneza (2018)
**Coautor** Jonathan Davies
**Colaboradores** André Nunes, Isabel Nassif, Rafael Murolo, Rodrigo Ohtake, Tatiana Ozzetti
**Coordenação de projeto** Luiz Felipe Carvalho, Walter Gola, Joana Maia Rosa, Sabrina Lapyda, Luciano Gouveia
**Paisagismo** Apoena Amaral, José Luiz Brenna
**Estrutura concreto** Esteng
**Estrutura metálica** Projecta
**Esquadrias** Maria Teresa Faria e Godoy
**Instalações prediais** Gera
**Luminotecnia** Ricardo Heder
**Mural** Andrés Sandoval
**Incorporação** Movimento Um, Idea! Zarvos, Axpe Imóveis Especiais, CP3
**Construção** CPA

---

**Casa no Morro do Querosene** (p. 46)
**Local** São Paulo, SP
**Ano de projeto** 2004
**Ano de construção** 2006-2008
**Área do terreno** 450 m²
**Área construída** 360 m²
**Premiações** Premiação IAB-SP 2006 – Menção Honrosa (2006) / World Architecture Community Awards – 9th Cycle (2012)
**Exposições** *Unnamed spaces*, XVI Bienal de Arquitetura de Veneza (2018)
**Coautor** Jonathan Davies
**Estrutura concreto** Benedictis Engenharia
**Estrutura metálica** Benedictis Engenharia
**Instalações hidráulica / elétrica** Ramoska & Castellani
**Construção** Roberto Growald

---

**Casa no Jardim Paulistano** (p. 56)
**Local** São Paulo, SP
**Ano de projeto** 2012
**Ano de construção** 2013-2015
**Área do terreno** 370 m²
**Área construída** 585 m²
**Premiações** 8º Prêmio Arquitetura & Construção "O Melhor da Arquitetura" (2015)
**Coautor** André Nunes
**Colaboradores** Alexandre Mendes, Gabriela Villas Bôas, Micaela Vendrasco, Ricardo Fróes
**Paisagismo** Raul Pereira
**Estrutura concreto e metálica** Benedictis Engenharia
**Instalações hidráulica / elétrica** JPD
**Luminotecnia** Ricardo Heder
**Construção** CPA / Luiz Schwartz
**Vídeo** Pedro Kok

---

**Casa em Itu** (p. 64)
**Local** Itu, SP
**Ano de projeto** 2014
**Ano de construção** 2016-2018
**Área do terreno** 3.275 m²
**Área construída** 775 m²
**Exposições** *Unnamed spaces*, XVI Bienal de Arquitetura de Veneza (2018)
**Colaboradores** Alexandre Mendes, Bruno Satin, Gabriela Villas Bôas, Micaela Vendrasco, Ricardo Fróes, Paola Ornaghi
**Paisagismo** Tomás Rebollo
**Estrutura concreto e metálica** Benedictis Engenharia
**Instalações hidráulica / elétrica** JPD
**Luminotecnia** Ricardo Heder
**Desenho do piso em mosaico** Andrés Sandoval
**Gerenciamento de obra** Salvador Santon
**Construção** Reinaldo Francisco Ramos (Renner)

---

**Sede do Sebrae Nacional** (p. 74)
**Local** Brasília, DF
**Ano de projeto** 2008
**Ano de construção** 2009-2010
**Área do terreno** 10.000 m²

**Área construída** 25.000 m² 
**Concursos** Concurso Nacional da Sede do Sebrae Nacional (1º lugar) 
**Premiações** Prêmio APCA – Obra de Arquitetura no Brasil (2010) / 4º Prêmio Arquitetura & Construção "O Melhor da Arquitetura" (2011) / XIII Bienal Internacional de Arquitetura de Buenos Aires (BA11) / VIII BIAU – Bienal Iberoamericana de Arquitetura – Panorama de Obras (2012) / World Architecture Community Awards – 10th Cycle (2012) 
**Exposições** VIII BIAU – Bienal Iberoamericana de Arquitetura – Panorama de Obras (2012) / XIII Bienal Internacional de Arquitetura de Buenos Aires (BA11) / "Continuidade e transformação: o chão público de Brasília", X Bienal de Arquitetura de São Paulo (2013) / Unnamed spaces, XVI Bienal de Arquitetura de Veneza (2018) 
**Coautores** Jonathan Davies, Luciano Margotto 
**Colaboradores** Amanda Spadotto, Cristina Tosta, Camila Obniski, Daniela Pochetto, Fabiana Cyon, Flavio Castro, João Yamamoto, José Paulo Gouvêa, Juliana Braga, Luis Carlos Dias, Roberta Cevada / André Nunes, Julia Valiengo, Julia Caio, Isabel Nassif, Rafael Murolo, Rafael Neves, Raphael Souza 
**Consultor Sebrae / Gerenciamento de Qualidade do Projeto** Haroldo Pinheiro 
**Paisagismo** CAP SP 
**Estrutura concreto** Kurkdjian & Fruchtengarten 
**Estrutura metálica** Kurkdjian & Fruchtengarten 
**Contenções** Engedat 
**Esquadrias** André Mehes 
**Instalações hidráulica / elétrica** PHE / Sittuare 
**Impermeabilização** Proassp 
**Luminotecnia** Ricardo Heder 
**Mural** Ralph Ghere 
**Automação** Bettoni 
**Áudio e vídeo** Bettoni 
**Acústica** Ambiental 
**Conforto Ambiental** Ambiental 
**Climatização** Thermoplan 
**Planilhas e orçamento** Mauro Zaidan 
**Construção** Termoeste 
**Maquete** Fabio Gionco, Gabriel Manzi, José Paulo Gouvêa 
**Vídeo** Pedro Kok

---

**Sesc Limeira** (p. 86) 
**Local** Limeira, SP 
**Ano de projeto** 2017-2021 
**Ano de construção** em andamento 
**Área do terreno** 20.500 m² 
**Área construída** 20.800 m² 
**Concursos** Concurso Nacional de Arquitetura para a Unidade Sesc Limeira (1º lugar) 
**Exposições** Unnamed spaces, XVI Bienal de Arquitetura de Veneza (2018) 
**Coautores** José Paulo Gouvêa, Pedro Mendes da Rocha 
**Coordenação** Adriane De Luca, Bruno Satin 
**Colaboradores** Guilherme Figueiredo, Miguel Meister, Paola Ornaghi / Américo Fajardo, Ana Carolina Batista, Laura Almeida, Teo Butenas / André Britto, Caio Ferraz, Fernanda Carlovich, Kamal Yazbek (concurso) 
**Coordenação Sesc-SP ATP** Bruna Hitos, Marcia Bonetti 
**Coordenação Sesc-SP GEI** Mariana Mourão, Larissa Akemi 
**Paisagismo** CAP SP 
**Estrutura concreto** Kurkdjian & Fruchtengarten 
**Fundações** ZF 
**Alvenaria** MAA Projetos e Consultoria 
**Estrutura metálica** Kurkdjian & Fruchtengarten 
**Esquadrias** Arqmate 
**Instalações hidráulica / elétrica** PHE 
**Impermeabilização** Proassp 
**Luminotecnia** Franco Associados 
**Cenotecnia** Gustavo Siqueira Lanfranchi 
**Áudio / vídeo / multimídia** Crysalis 
**Acústica** Nepomuceno & Trindade 
**Conforto Ambiental (térmico e acústico)** Ambiental 
**Ar condicionado** Escola Técnica Profissional 
**Ar comprimido / Vácuo Hospitalar** Maker Enginstal 
**Cozinha Industrial** Fernando Machado de Campos 
**Detecção e Alarme de Incêndio / Sistema Eletrônico de Segurança / Supervisão e Controle Predial** Bettoni 
**Drenagem / Fluxo de Veículos / Terraplenagem** MK Engenharia 
**Equipamento Clínica Odontológica** Simone Carvalho 
**Estação de Tratamento de Esgoto** CHETH 
**Lógica / Telefonia / Energia Estabilizada** Jugend 
**Piso de Concreto** LPE 
**Planilhas e orçamento** W&F 
**Proteção Passiva** Tecsteel 
**Transporte Vertical** Empro 
**Maquete / modelo eletrônico** Goma Oficina / Thiago Augustus 
**Vídeo** Estúdio MRGB

---

**Associados 2004-2020**

Alexandre Mendes, André Nunes, Andrés Briones, Ana Orefice, Ana Terra Capobianco, Angelo Bucci, Antonio Polidura, Bruno Satin, Carolina Gimenez, Claudio Libeskind, Cristiane Muniz, Edgar Mazo, Eduardo Ferroni, Eduardo Gianni, Fabio Valentim, Fernanda Barbara, Fernanda Neiva, Fernando Viégas, Francisco Burgos, Giovanni Meirelles de Faria, Ginés Garrido, Guido Otero, Guilherme Figueiredo, Hermes Romão, Ignacio Volante, Igor Campos, João Paulo Meirelles de Faria, Jimmy Liendo, João Yamamoto, Jonathan Davies, José Eduardo Baravelli, José Paulo Gouvêa, Juliana Braga, Luciano Margotto, Luis Callejas, Luis Tavares, Marcelo Ursini, Marcos Acayaba, Maria Julia Herklotz, Marinho Veloso, Marta Moreira, Moracy Amaral, Pablo Hereñu, Pablo Iglesias, Pablo Talhouk, Paula Zasnicoff, Pedro Mendes da Rocha, Raíssa Bahia, Ricardo Gusmão, Rodolfo Marques, Sandra Llovet, Sebastian Mejia, Sérgio Matera, Sergio Salles

**Colaboradores 2004-2020** 
Adriane de Luca, Alexandre Mendes, Amanda Spadotto, Américo Fajardo, Ana Carolina Batista, Ana Carolina Mulky, Ana Carolina Neute, André Britto, André Nunes, André Procópio, Antonio Contreras, Anita Freire, Breno Felisbino, Bruna Canepa, Bruno Gondo, Bruno Satin, Carlos Eduardo Murgel, Caio Ferraz, Camila Obniski, Candelaria Goyeneche, Carla Kienz, Ciro Miguel, Cristina Tosta, Daniela Pochetto, Dinorah Kaiser, Edson Riva, Enk Te Winkel, Fabiana Cyon, Fabricius Mastroantonio, Felipe Franco, Fernanda Bernava, Fernanda Carlovich, Fernanda Varella, Flavio Castro, Gabriela Villas Bôas, Gabriel Manzi, Giovanna Araújo, Guilherme Figueiredo, Gustavo Delonero, Ingrid Colares, Isabel Nassif, João Pedro Sommacal de Mello, José Paulo Gouvêa, Julia Caio Siqueira, Julia Valiengo, Juliana Braga, Kamal Yazbek, Laura Almeida, Luis Carlos Dias, Marco Attucci, Marco Rizzo, Marina Canhadas, Mauricio Wood, Micaela Vendrasco, Miguel Meister Neto, Mina Warchavchik, Nilton Suenaga, Otávio Melo, Pablo Posada, Paola Ornaghi, Rafael Murolo, Rafael Urano, Raphael Souza, Renata Lovro, Ricardo Fróes, Roberta Cevada, Roberto Scaia, Rodrigo Ohtake, Tatiana Ozzetti, Teo Butenas, Walter Diamond

**Organização**
Marta Bogéa

**Texto crítico**
Jorge Figueira

**Depoimento**
Angelo Bucci

**Entrevista**
Marta Bogéa
Mônica Junqueira
Pedro Kok

**Projeto gráfico e diagramação**
Núcleo de Design Escola da Cidade

**Fotos**
Capa: Pedro Kok (Sede do Sebrae Nacional).
Nelson Kon: p. 2, p. 41, p. 44, p. 45, p. 47,
p. 48, p. 49, pp. 54-5, p. 57, p. 61, p. 62,
p. 65, p. 68, p. 70, p. 71, pp. 72-3, p. 75, pp. 80-1,
p. 83, pp. 84-5, p. 97, p. 103 (5, 7, 9, 10)
Pedro Kok: p. 4, p. 27, p. 63, p. 79, p. 100 (1, 4).
João Sodré: pp. 24-5, p. 100 (2), p. 103 (6).
Carlos Kipnis: pp. 32-3.
Pedro Vannucchi: p. 53.
Baú Escola da Cidade: p. 100 (3).
Andrés Sandoval: p. 103 (8).

**Modelo eletrônico**
Thiago Augustus: pp. 8-9, p. 87,
p. 92, p. 93, pp. 94-5, p. 96.
Alexandre Mendes: p. 21.
Ricardo Fróes: p. 35.

**Desenhos**
gruposp

**Preparação**
Leandro Rodrigues

**Revisão**
Elba Elisa Oliveira

Dados Internacionais de Catalogação
na Publicação — CIP

Coleção arquitetos da cidade: Gruposp.../
Organizado por Marta Bogéa. — São Paulo:
ECidade, Edições Sesc SP, 2021.
112 p. : il. (Arquitetos da Cidade; v. 1).

ISBN Ecidade: 978-65-86368-16-1
ISBN Edições Sesc: 978-65-86111-45-3

1. Arquitetura Contemporânea. 2. Gruposp.
3. Arquitetura Brasileira. I. Título. II. Série

CDD 720.92

Catalogação elaborada por Edina R. F. Assis

## sesc

**Serviço Social do Comércio**
Administração Regional
no Estado de São Paulo

**Presidente do Conselho Regional**
Abram Szajman
**Diretor Regional**
Danilo Santos de Miranda

**Conselho Editorial**
Ivan Giannini
Joel Naimayer Padula
Luiz Deoclécio Massaro Galina
Sérgio José Battistelli

**Edições Sesc São Paulo**
*Gerente* Iã Paulo Ribeiro
*Gerente adjunta* Isabel M. M. Alexandre
*Coordenação editorial* Francis Manzoni, Clívia Ramiro, Cristianne Lameirinha, Jefferson Alves de Lima
*Produção editorial* Antonio Carlos Vilela
*Coordenação gráfica* Katia Verissimo
*Produção gráfica* Ricardo Kawazu, Fabio Pinotti
*Coordenação de comunicação*
Bruna Zarnoviec Daniel

**Edições Sesc São Paulo**
Rua Serra da Bocaina, 570 — 11º andar
03174-000 — São Paulo SP Brasil
Tel.: 55 11 2607-9400
edicoes@sescsp.org.br
sescsp.org.br/edicoes
/edicoessescsp

## escola da cidade

**Associação Escola da Cidade**
Alvaro Luís Puntoni (Presidência)
Fernando Felippe Viégas (Presidência)
Marta Moreira (Presidência)
Cristiane Muniz (Diretoria Conselho Escola)
Maira Rios (Diretoria Conselho Escola)
Anália M. M. de C. Amorim (Diretoria Conselho Científico)
Marianna Boghosian Al Assal (Diretoria Conselho Científico)
Anderson Fabiano Freitas (Diretoria Conselho Social)
Guilherme Paoliello (Diretoria Conselho Técnico)
Ciro Pirondi (Diretoria Escola de Humanidades)

**Editora Escola da Cidade**
Fabio Valentim
Marina Rago Moreira
Maria Sader Basile
Thais Albuquerque
Beatriz Sallovicz

**Núcleo de Design**
Celso Longo
Daniel Trench
Débora Filippini
Juliana Tegoshi
Maria Dallari Gruber

**Associação Escola da Cidade**
Faculdade de Arquitetura e Urbanismo
Rua General Jardim, 65 — Vila Buarque
01223-011 — São Paulo SP Brasil
Tel.: 55 11 3258-8108
editoradacidade@escoladacidade.edu.br
escoladacidade.edu.br/pesquisa/editora

Composto com Neue Haas Grotesk e Interlink
Impressão do miolo em papel Alta Alvura 120g/m²
Impressão da capa em cartão Supremo 250g/m²
Impresso pela gráfica Ipsis
1000 exemplares

MISTO
Papel produzido a partir
de fontes responsáveis
FSC
www.fsc.org
FSC® C011095